Rhwng y Silffoedd

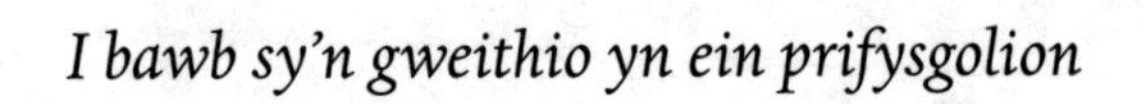

I bawb sy'n gweithio yn ein prifysgolion

Rhwng y Silffoedd

Andrew Green

y lolfa

Dychmygol yw'r cymeriadau
i gyd yn y llyfr hwn

Argraffiad cyntaf: 2020

Cynllun y clawr: Sion Ilar

Rhif Llyfr Rhyngwladol: 978 1 78461 856 8

Dymuna'r cyhoeddwyr gydnabod cymorth ariannol Cyngor Llyfrau Cymru

Cyhoeddwyd ac argraffwyd yng Nghymru
ar bapur o goedwigoedd cynaliadwy gan
Y Lolfa Cyf., Talybont, Ceredigion SY24 5HE
e-bost ylolfa@ylolfa.com
gwefan www.ylolfa.com
ffôn 01970 832 304
ffacs 01970 832 782

Nodyn golygyddol

Gwelais destun *Rhwng y Silffoedd* am y tro cyntaf ym mis Medi 2075.

Yr hanesydd Robert ap Gwyn ddaeth ar ei draws, fel ffeil ar 'liniadur' (hen fath o gyfrifiadur), yn archifau Prifysgol Cymru Aberystwyth, ynghyd â nifer o destunau eraill o ail ddegawd y ganrif hon. Llwyddodd Dr ap Gwyn i adfer y testun trwy ddefnyddio meddalwedd arbenigol. Tan hynny nid oedd neb wedi'i ddarllen, yn ôl pob tebyg, ers y flwyddyn 2016. Trwy garedigrwydd Dr ap Gwyn cefais y cyfle i'w astudio'n fanwl.

Perthyn *Rhwng y Silffoedd* i *genre* llenyddol oedd yn lled ffasiynol ar ddiwedd yr ugeinfed ganrif, y 'nofel gampws'. Fel yn achos yr esiamplau cynt, comedi ffantasïol yw hi. Ond mae'r awdur yn tasgu cymaint o asid dros ei stori nes gadael blas annymunol ar dafod y darllenydd.

Awdur y gwaith, yn ôl y testun, yw 'Andrew Green'. Ffugenw yw hwn, debyg iawn. Ni allai unrhyw un gysylltu'r enw hwn yn gredadwy â llên o'r cyfnod. Gellir deall yn hawdd pam y byddai'r awdur yn dewis bod yn anhysbys, o ystyried y nifer o ymosodiadau ffyrnig ar arweinwyr prifysgolion – yn arbennig os oedd e neu hi'n aelod o staff mewn un ohonynt. Mae ei ffieidd-dra at y byd cyfoes mor eithafol nes bod rhywun yn amau a oedd e yn ei iawn bwyll.

Academydd cudd o bosibl, felly, yw 'Andrew Green'. Mae'n bell iawn, fodd bynnag, o fod yn awdur wrth reddf. Er ei fod yn gyfarwydd â rhai o gonfensiynau'r nofel ôl-fodernaidd – efallai iddo ddarllen ambell arweinlyfr ar sut i ysgrifennu'n greadigol – ychydig o dystiolaeth sydd yma o grefft lenyddol safonol. Plot simsan, cymeriadau prennaidd, deialog stiff, hiwmor straenllyd: dyma rai yn unig o wendidau amlwg ei nofel. Nid yw'n syndod na welodd *Rhwng y Silffoedd* erioed olau dydd yn llyfr cyhoeddedig.

Ac eto rhaid cyfaddef fod gan y nofel ryw werth fel dogfen hanesyddol. Fe'i lleolir yn y flwyddyn academaidd 2015–16: blwyddyn allweddol yn hanes y wlad oedd yn dal i ddwyn yr enw 'Y Deyrnas Unedig' ar y pryd. Tua diwedd y flwyddyn honno, mewn refferendwm ym mis Mehefin 2016, penderfynodd pobl y DU i adael yr Undeb Ewropeaidd. Dros y cyfnod nesaf datododd nifer o ddigwyddiadau tyngedfennol: yr argyfwng Coronafeirws, cwymp andwyol yr economi, annibyniaeth i'r Alban ac i Gymru, aduno ynys Iwerddon a chais Lloegr i fod yn un o daleithiau Unol Daleithiau America.

Dim ond ambell sôn sydd am 'Bregsit' yn *Rhwng y Silffoedd*, ond cawn ddarlun byw o gyflwr diwylliannol y wlad yn union cyn y penderfyniad trychinebus hwnnw: yr agendor mawr rhwng yr *élite* breintiedig a'r lleill, yr ysfa i addoli arian a'r hawl i reoli bywydau pobl eraill, arweinwyr – dynion i gyd bron – sy'n ddigon parod i dorri'r gyfraith i gael eu ffordd. O gymharu â'n prifysgolion heddiw yn y Gymru annibynnol, mae 'Aberacheron' ac 'Aberlethe' yn ymddangos yn llefydd dieflig ac uffernol. Nid ar hap y daw enwau lleoedd yn y nofel o Hades, is-fyd y Groegiaid gynt. Wrth gwrs, rhaid cadw mewn cof mai ffuglen yw'r testun hwn. Nid yw ystadegau hanesyddol o'r cyfnod yn dangos lefel uchel o farwolaethau annisgwyl ymysg arweinwyr prifysgolion.

Dyma felly yw *Rhwng y Silffoedd*. Mae'n haeddu cael y cyfle i ymddangos yn gyhoeddus. Dwi heb newid y testun – er ei bod yn amlwg y byddai wedi elwa ar bensil coch golygydd da yn 2016 – ac eithrio i ychwanegu rhifau tudalen i'r mynegai amaturaidd – nodwedd anghyffredin mewn nofel, lle mae'r awdur yn colli pob rheolaeth ar ei ddicter a'i odrwydd. Rwyf wedi gwrthsefyll y temtasiwn i ychwanegu troednodiadau i egluro'r cyfeiriadau yn y testun. Hanner canrif ymlaen mae'n amhosibl inni adnabod yr union dargedau oedd gan yr awdur mewn golwg – os oedd e'n targedu unigolion o gwbl.

Dr Catrin Rowlands
Adran y Gymraeg
Prifysgol Cymru Aberystwyth
Mai 2076

1

Cerddodd Llŷr yn fyfyriol i lawr y córidor a stopio o flaen drws y swyddfa. Am y canfed tro syllodd ar yr arwydd.

Dr Llŷr Meredydd
Darlithydd
Adran Griminoleg

Ac am y canfed tro ceisiodd wneud nodyn meddyliol i ofyn i rywun newid y geiriau. Llinell 2: cafodd ei ddyrchafu i fod yn Uwch Ddarlithydd dair blynedd yn ôl. Llinell 3: llynedd, amlyncwyd yr hen Adran gan y 'Coleg Astudiaethau Cyfreithiol'. O leiaf doedd ei enw personol ddim wedi newid, hyd y gwyddai. Ond fyddai e ddim yn synnu petai'r Brifysgol yn e-bostio cylchlythyr at bawb yn dweud y byddai'n rhaid 'addasu enwau'r staff am resymau busnes'.

Roedd yn chwilio am ei allwedd pan glywodd lais uchel o ben arall y córidor. Perchennog y llais oedd pennaeth y Coleg, Lisa Williams. Gwaeddai ei siaced goch, lachar mor uchel â'i llais, a chlaciodd sodlau ei sgidiau synhwyrol ar y llawr pren.

'Llŷr! Cyfarchion! Dyma syrpréis – does bosib dy fod yn darlithio cyn deg o'r gloch y bore?'

'Paid â bod yn ddwl, Lisa.'

Doedd dim angen bod yn ffurfiol. Roedd y ddau ohonynt wedi dechrau gweithio yn y Brifysgol ar yr un diwrnod, ddeng mlynedd yn ôl, ac wedi bod yn gyfeillion ers hynny.

'Dwi'n ddarlithydd mor boblogaidd mae'r myfyrwyr wedi gofyn imi drefnu darlithoedd ychwanegol am naw o'r gloch bob dydd.'

'Debyg iawn. Dyna'n gwmws beth mae'r awdurdodau'n lico'i glywed, Llŷr.'

Er bod Lisa wedi dringo'r polyn llithrig i fod yn Bennaeth y Coleg, ac ar yr wyneb yn rhannu 'gweledigaeth newydd' y Brifysgol, doedd hi ddim wedi anghofio'n llwyr am ddyletswydd hen ffasiwn yr academydd i gadw meddwl sgeptigol ac annibynnol ar bob pwnc.

Ond doedd hi ddim ond yn dweud y gwir. Y myfyrwyr, y dyddiau hyn, oedd yn rheoli gwaith y staff. Neu, 'ein cwsmeriaid', yng ngeirfa newydd yr Is-Ganghellor. 'Nhw sy'n talu eu ffïoedd, felly nhw sy'n talu eich salari' oedd ei eiriau cwta mewn *communiqué* i'r holl staff yn ddiweddar.

'Ti ddim wedi anghofio am y prynhawn 'ma, wyt ti, Llŷr?'

Chwiliodd yn ei gof. Yr unig beth ddaeth i'r wyneb oedd y trip car wythnosol i Lidl, a'r cyfle pleserus i bori yn y biniau yn yr 'eil freuddwydion' am set o ddriliau newydd, sliperi porffor neu ryw eitem ddiangen arall.

'Yr Is-Ganghellor. Ei anerchiad blynyddol i staff y Brifysgol. Dau o'r gloch ar ei ben. Cofia fod 'na chwip tair llinell y tro yma, o'r top. Os na fyddi di yna, bydd rhywun yn siŵr o sylwi ar dy absenoldeb.'

Suddodd calon Llŷr i'w sgidiau.

'Paid becso, Lisa. Bydda i'n ishte yn y rhes flaen, fel arfer, yn cadw nodiadau, fel criminolegydd da. A fydda i ddim yn codi cwestiynau lletchwith, dwi'n addo.'

'Fydd dim cyfle 'da ti, gwboi. Dyw'r Is-Ganghellor byth yn caniatáu cwestiynau. Dylet ti wybod 'nny. Fyddai Vladimir Lenin neu Joseph Stalin ddim wedi llwyddo, fydden nhw, tasen nhw wedi gofyn am farn onest gan bob un o gwmpas y bwrdd cyn gwneud eu penderfyniadau caled?'

Gwyddai Lisa'n iawn mai teitl traethawd Dr Llŷr, ugain mlynedd ynghynt, oedd 'Llywodraeth, democratiaeth a chyfiawnder yn yr Undeb Sofietaidd'. Troiodd ar ei sawdl swnllyd a hwylio i ffwrdd, er mwyn cyfleu ei neges swyddogol, ysbrydoledig i'w chyd-weithwyr eraill yn y Coleg.

Gwyliodd Llŷr gorff athletaidd Lisa yn byrlymu i lawr y córidor. Yn ferch ifanc roedd hi'n seren ar y cwrt sboncen, a heddiw fe ellid ei gweld yng nghampfa'r Brifysgol bob bore cyn saith o'r gloch, yn ôl y sôn. Wedyn aeth e i mewn i'w ystafell, cau'r drws a gosod ei gorff sylweddol yn y gadair freichiau, gan ryddhau ochenaid flinedig. Roedd newyddion Pennaeth y Coleg bron yn ormod iddo. Un oedd yn gwerthfawrogi bywyd sefydlog, rhagweladwy oedd Llŷr. Er ei fod yn radical o ryw fath o hyd yn ei ddaliadau cyhoeddus, ceidwadwr wrth reddf oedd e yn ei fywyd preifat. Sioc felly oedd clywed bod dim dewis 'da fe ond gwrando ar yr Is-Ganghellor, yr Athro Diocletian Jones CBE, yn parablu am ei orchestion, heb obaith am gyfle i'w gywiro neu ei herio.

Edrychodd Llŷr o gwmpas ei swyddfa. Ar yr wyneb doedd ond ychydig o bethau wedi newid ers iddo symud i mewn ddeng mlynedd ynghynt. Ac eto roedd popeth bron wedi'i drawsnewid.

Ar y ddesg safai hen luniau du a gwyn o'i wraig Teleri a'r ddwy ferch fach. I bob pwrpas, cyn-wraig oedd Teleri erbyn hyn – er bod y ddau am ryw reswm wedi anghofio mynd i'r drafferth o ysgaru – ac roedd Gwawr a Bethan wedi tyfu a hedfan y nyth. Yn ei fflat ddeulawr yn y marina roedd copïau o'r un lluniau, arwyddion o fywyd oedd wedi hen ddod i ben.

Ar y silffoedd a ymestynnai ar hyd un o'r waliau hir, gallai weld llyfrau, cylchgronau ac allbrintiau di-rif. Ond dim byd mwy na hen gelfi oedden nhw nawr. Yn anaml byddai Llŷr yn eu tynnu o'r silff. Yn hytrach, roedd e'n gaeth i'r peiriant ar ei ddesg. Trwy'r cyfrifiadur y cyrhaeddai'r cyfan o'r wybodaeth oedd yn berthnasol i'w ymchwil, ac ar ei allweddfwrdd yr ysgrifennai ei erthyglau – a'r llyfr oedd wedi bod ar y gweill nawr ers tair blynedd, heb ddod yn agos at y bennod derfynol. Weithiau teimlai Llŷr nad oedd ei waith yn wahanol i waith y trueiniaid oedd yn llafurio yn y canolfannau ffôn a frithai'r ddinas, a'r 'ganolfan fodloni' oedd yn perthyn i siop ar-lein ryngwladol MegaMagic.

Unwaith, ymwelodd Llŷr â warws enfawr MegaMagic, fel rhan o'i ymchwil. Denwyd y cwmni i hen safle diwydiannol ar gyrion Aberacheron trwy grant hael gan y llywodraeth, ar y ddealltwriaeth y byddai'n creu miloedd o swyddi. A dyna beth ddigwyddodd. Ond roedd y cyflogau'n isel, yr amodau gwaith yn llym a'r gweithwyr yn ddigalon. Byddent yn rhedeg rhwng y silffoedd dan orchymyn y cyfrifiaduron bach yn eu dwylo, oedd yn rheoli eu hamser yn fanwl ac yn nodi eu camgymeriadau. Byddai mwy nag un camgymeriad yn arwain at gosb a rhybudd; gormod o gamgymeriadau at ddiswyddo disymwth. Fyddai neb yn meiddio bod yn sâl, achos byddai hynny'n arwain yn syth at ddiswyddiad, na hyd yn oed yn meiddio mynd i'r tŷ bach, rhag ofn colli amser. Roedd Llŷr wedi llwyddo i gipio ambell sgwrs slei gyda'r ychydig weithwyr oedd yn fodlon siarad ag e. Fyddech chi ond yn ceisio am swydd yn MegaMagic, meddai un ohonynt, os oeddech chi ar ben eich tennyn ac yn ffaelu dod o hyd i unrhyw job arall.

Llwyddodd Llŷr i wasgu erthygl ymchwil o'r ymweliad. Ei theitl oedd 'Thomas Gradgrind Cyf. a gorthrwm y gweithiwr cyfoes'. Ychydig wythnosau ar ôl iddi ymddangos yn *Cylchgrawn Gwaith a Llafur* derbyniodd Llŷr lythyr byr oddi wrth Bernice Scrawn, Prif Reolwraig Ansawdd a Rheolaeth, MegaMagic Inc. Neges Ms Scrawn oedd na fyddai croeso cynnes iddo eto yn swyddfeydd y cwmni. Yn wir, ni fyddai croeso iddo o gwbl, gan nad oedd e wedi derbyn caniatâd y cwmni i gyfweld ei weithwyr. Fel oedd hi'n digwydd, doedd dim cynlluniau ganddo i ailymweld, felly aeth llythyr Ms Scrawn yn syth i'r bin sbwriel.

Cafodd yr erthygl gryn sylw yn y wasg. Penderfynodd papur dydd Sul cenedlaethol anfon un o'i ohebwyr arbennig o Lundain i'r warws dan gudd i ymuno â'r gweithwyr a chael blas o'u sefyllfa druenus. Ond yn anffodus chafodd yr erthygl fawr o impact academaidd. Daeth Llŷr dan bwysau cynyddol yn yr Ysgol i gyhoeddi llyfr swmpus fyddai'n cyfrif tuag at y 'Gystadleuaeth Ymchwil Flynyddol'. Roedd clywed sôn am CYBol yn ddigon i yrru ias o ofn i lawr cefn ymchwilydd. Os na chafodd eich *magnum opus* farciau uchel, neu, yn waeth, os nad oedd eich gwaith yn ddigon cryf i fynd i mewn i CYBol yn y lle cyntaf, wedyn roedd eich gyrfa fel ymchwilydd ar ben, a dysgu myfyrwyr am byth, ar gyflog is, fyddai'r unig opsiwn.

Roedd Llŷr yn siŵr iddo wneud y dewis cywir ar gyfer testun ei lyfr, sef trosedd coler wen. Sylweddolodd beth amser yn ôl fod troseddau traddodiadol yn mynd allan o ffasiwn. Dangosodd yr ystadegau bob blwyddyn fod trais a lladrata yn colli tir ac wedi peidio ag apelio at droseddwyr cyfoes. Doedd neb yn medru dweud pam, ond gwyddai Llŷr nad oedd e'n ddigon galluog i gynnig esboniad, felly troes at faes newydd, lle roedd y lefel trosedd yn cynyddu'n aruthrol: twyll a dwyn ar-lein.

Ond ar ôl ymchwilio'n ddiwyd am flwyddyn a hanner

dechreuodd Llŷr golli stêm. Bu'n rhaid iddo dreulio gormod o amser o flaen ei gyfrifiadur. Roedd y bobl y byddai'n eu cyfweld yn gymeriadau llwyd ac anniddorol. Yn yr hen ddyddiau byddai'n cwrdd â throseddwyr lliwgar, fel Harri Hoelen, y gangster o Aberlethe oedd yn adnabyddus am adael ei elynion yn hongian yn uchel ar waliau mewn hen ffatrïoedd gwag yn y dociau (yn y pen draw yr un oedd ei dynged e). Roedd y plismyn yn fwy blodeuog bryd hynny hefyd. Cofiai am Dic Driscoll, uwch-arolygydd yn Aberacheron. Bob dydd byddai Dic yn y King's Arms erbyn amser cinio, lle roedd ganddo swyddfa answyddogol mewn cornel dawel i lyncu cwrw tywyll a chloncan gyda'i ffrindiau, gohebwyr y wasg neu hyd yn oed ymchwilwyr ifainc fel Llŷr. A dyna sut lwyddai Dic i ddatrys ambell drosedd ddryslyd, trwy wrando ar y bobl wahanol fyddai'n dod trwy ddrysau'r King's a phwyso arnyn nhw am wybodaeth werthfawr.

Erbyn heddiw roedd trais ac alcohol ill dau wedi mynd allan o ffasiwn. Treuliai'r troseddwr a'r plismon eu holl amser o flaen sgrin gyfrifiadurol. A dyna lle y dylai Llŷr fod nawr, er mwyn dechrau gwaith ar Bennod 5 o'i lyfr, oedd yn dwyn y teitl dros dro, 'Phishing, vishing ac enghreifftiau eraill o dwyll'.

Roedd e'n dal i syllu trwy'r ffenestr ac yn hiraethu am yr oes a fu pan ddaeth cnoc swnllyd ar y drws.

'Dewch!'

Trwy'r drws camodd ffigur talsyth, awdurdodol y Dr Eugene Drinkwater, cyfreithiwr a brodor o Syracuse, Talaith Efrog Newydd, yr oedd safon ei Gymraeg yn fwy cywir a gloyw na Chymraeg unrhyw drigolyn arall yn Aberacheron.

'Llŷr!' gwaeddodd ar uchaf ei lais, 'Cnociais i, rhag ofn bod lladratwr yn dy stafell. Do'n i ddim yn disgwyl dy weld am sbel.'

'Paid â bod mor sinigaidd, Gene. Fe ddes i i mewn yn fwriadol i gael llonydd i weithio ar fy llyfr, cyn bod y flwyddyn academaidd yn dechrau.'

'Yr hen lyfr 'na ar droseddwyr cyfrifiadurol? Wyt ti'n dal i geisio dadwisgo hacwyr ifainc? Mae 'na rywbeth rhyfedd am ddyn yn ei chwedegau'n mynd i ryfel yn erbyn bachgen smotlyd sy'n syllu ar ei gyfrifiadur mewn stafell wely yn nhŷ ei rieni.'

Allai Llŷr ddim gwadu'r cyhuddiad. Roedd Eugene, yr unig griminolegydd arall yn y Brifysgol, wedi aros yn driw i'w ddiddordebau ymchwil. Roedd e newydd gyhoeddi cyfrol o'r enw *Osgoi trethi: persbectifau ôl-fodernaidd*. Roedd y llyfr hwn yn rhwym o dderbyn adolygiadau da gan ysgolheigion ôl-fodernaidd eraill a sicrhau lle i'w awdur ar restr CYBol yr Adran. Yn fwy na hynny, gallai fod yn basbort i swydd dda i Eugene – Cadair, siŵr o fod – mewn prifysgol fwy ffasiynol nag Aberacheron.

Roedd yn well gan Llŷr anwybyddu'r sylw. 'Oes rheswm 'da ti i dorri ar draws fy ngwaith pwysig?'

'Oes, fel mae'n digwydd. Newydd glywed si cwbl frawychus y funud hon.'

'Mae'r Brifysgol am i'n hadran ni symud i'r campws newydd yn Indonesia?'

'Gwath na 'nny. Ti'n gwbod bod yr Is-Ganghellor yn bwriadu ymweld â phob adran yn ei thro, a chael sgwrs ddifrifol gyda'r staff i gyd? Wel, y gair ar y Mall yw taw ein hadran ni fydd y gynta ar ei restr. Ac ar ben 'nny, yr adrannau cynta i gael eu gweld, medden nhw, fydd yr adrannau dan y lach, y rhai mewn perygl o gael e –'

'Gene, paid. Paid â dweud y gair.'

'Rhesymoli' oedd y gair, roedd Llŷr yn gwybod i sicrwydd. Gair iwffemistig, gair marwol. Bu hanes hir, sinistr iddo yn y Brifysgol. Cofiodd i bennaeth yr Adran Eidaleg, rai blynyddoedd yn ôl, dderbyn gwahoddiad i alw ar yr Is-Ganghellor yn ei swyddfa foethus yn y Plas. Pan aeth yno, amneidiodd yr Is-Ganghellor arno i eistedd o flaen ei ddesg, oedd yn edrych mor fawr â maes pêl-droed. Wedyn daeth ond un cwestiwn:

'Dr Price, ydych chi'n digwydd bod yn hoff o arddio?'

A chyn bod cyfle gan Dr Geraint Price, oedd wedi gwasanaethu'r Brifysgol yn ffyddlon am ddeugain mlynedd, feddwl am ystyr y cwestiwn, daeth eglurhad o ochr arall y ddesg.

'Dr Price, dwi wedi dod i'r casgliad anochel bod rhaid rhesymoli'ch Adran. Does dim dewis arall 'da fi ond eich gadael chi fynd, i hala mwy o amser gyda'ch *hollyhocks* a'ch moron. Diolch am eich gwaith i'r Brifysgol dros y blynyddoedd. Prynhawn da ichi!'

Safodd Geraint yn stond am hanner munud, fel petai e o flaen ei well mewn llys. Wedyn, am ryw reswm doedd e ddim yn gallu esbonio yn nes ymlaen, ysgydwodd law'r Is-Ganghellor, oedd wedi'i hestyn tuag ato, a cherdded i ffwrdd yn araf, heb ddweud gair. Erbyn y dydd Llun canlynol roedd ei ystafell yn wag, ac roedd e wedi diflannu o'r campws.

'Bastard! Y bastard!'

Roedd wyneb Eugene wedi cochi'n sydyn iawn, ac roedd ei wddw yn chwyddo'n drawiadol. Edrychai top ei ben fel petai ar fin ffrwydro. Roedd Llŷr yn ymwybodol bod gan Eugene dymer ddrwg iawn. Enillodd ei blwyf fel ymchwilydd ar strydoedd Chicago yn yr wythdegau, ymysg gangiau treisgar yr Ochr Ddeheuol. Yn hytrach nag ymgolli yn y cefndir, roedd e wedi ymyrryd, yn annoeth, mewn brwydr waedlyd rhwng dau o'r gangiau, y Latin Cobras a'r Killing Boys, ac wedi colli un o'i freichiau mewn ymosodiad *machete*. Chwarae teg, roedd e wedi cwblhau'r ymchwil a'i gyhoeddi mewn llyfr yn dwyn y teitl *Disarming Chicago: confronting violent crime in a US city*. Ond roedd y profiad wedi gadael marc ysbrydol arno, a thuedd i golli ei dymer yn wyneb unrhyw anghyfiawnder canfyddedig.

'Gan bwyll nawr, Gene, alli di ddim bod yn siŵr am natur perthynas rhieni'r Athro Jones!'

'Dwi wedi cwrdd â nifer o gymeriadau seicopathig dros y blynyddoedd, ond does dim un ohonyn nhw sy'n gallu cystadlu yn ei erbyn. Dim syndod bod troseddwr fel fe'n benderfynol o gau Criminoleg!'

'Allwn ni ddim bod yn siŵr taw dyna yw ei fwriad, Gene. Bydd rhaid inni ddadlau ein hachos, chwilio am ffrindiau, bod yn rhesymol.'

'Bod yn rhesymol! Pwff! Ers pryd mae Diocletian Jones yn gweithredu'n rhesymol? Dyw e ddim yn gwbod ystyr y gair, y domen gachi.'

Gyda hynny troes Eugene ar ei sawdl a gadael yr ystafell. Gallai Llŷr glywed corwynt bach o awyr poeth yn chwyrlïo yn ei sgil ar ôl i'r drws gau.

Plygodd Llŷr yn ôl yn ei gadair a dechrau myfyrio. Roedd e'n hoff iawn o Eugene. Edmygai ei allu i regi mor huawdl yn y Gymraeg. Yn ei ffordd Americanaidd roedd e bob amser yn barod i ddangos ei deimladau greddfol. Ar y llaw arall, gallai fod yn fyrbwyll ac yn beryglus o eithafol yn ei ymateb i bobl eraill.

Ond eto, tybed a oedd rhyw wirionedd yn ei eiriau am

fwriadau'r Is-Ganghellor? Oedd hwnnw'n benderfynol o yrru'r isadran i ebargofiant? Edrychodd Llŷr allan trwy'r ffenestr eto, gan feddwl am y canlyniadau posibl, cyn dychwelyd i'r sgrin a straffaglu trwy'r e-byst di-rif.

2

Dyddiad: 25/09/2015, 07:25am
I: Staff y Brifysgol
Oddi wrth: Is-Ganghellor Prifysgol Aberacheron
Testun: Cynulliad Blynyddol y Staff

Annwyl Gydweithredwyr

Cynhelir cynulliad blynyddol staff y Brifysgol yn y Neuadd Fawr ar 1 Hydref 2015 am 2.00 y prynhawn. Dyma gyfle imi eich hysbysu am ddatblygiadau diweddaraf a phwysig ein sefydliad ac i esbonio eich rhan chi ynddynt.

Dylwn i bwysleisio y bydd disgwyl i bawb fod yn bresennol. Mae 'pawb' yn cynnwys staff ar gontractau byr a staff ar gontractau 'dim oriau'; cofiwch y bydd rhaid ichi gyfrif oriau'r cyfarfod fel eich amser chi, nid amser y Brifysgol.

Rwyf am achub ar y cyfle hwn i'ch atgoffa chi i gyd am eich dyletswydd i gynyddu eich ymdrechion a'ch perfformiad er lles ein Prifysgol. Fel y gwyddoch, rydym yn wynebu sawl sialens eleni os dymunwn ni fod yn un o brifysgolion gorau'r byd.

Os oes gennych ymholiadau am y cyfarfod, cysylltwch ag Adelina Evans, ein Prif Swyddog Gweithredu.

Yn gywir,
Diocletian Jones CBE
Is-Ganghellor

3

Cerddai Llŷr ar hyd y Mall, trwy'r glaw di-ben-draw, ar ei ffordd i gwrdd â grŵp o'i fyfyrwyr blwyddyn gyntaf yn yr ystafell seminar pan welodd hen gyfaill yn sefyll y tu allan i'r Llyfrgell. Roedd golwg berchenogaidd ar ei hwyneb, ac iddi osgo awdurdodol – a hynny am reswm digon da, achos Llyfrgellydd y Brifysgol, Menna Maengwyn, oedd hon.

Bron bob dydd byddai Menna'n blasu'r awyr boreol o flaen prif fynedfa ei hymerodraeth, fel roedd hi wedi ei wneud am ugain mlynedd, ers iddi gyrraedd y Brifysgol fel merch yn ei thri degau cynnar i gymryd gofal o'r Llyfrgell, ar ôl teyrnasiad hir ei rhagflaenydd, Dr Fotherington. O'i nyth uchel mewn adeilad ar ganol y campws gwelodd bump Is-Ganghellor yn mynd a dod. Erbyn hyn roedd hi'n fflegmataidd am y newidiadau sydyn roedd pob un wedi'u cyflwyno. Safai dan ymbarél, yn ei ffrog werdd a phorffor – roedd hi'n hoff o atgoffa pobl bod ei mam-gu yn swffragét enwog cyn y Rhyfel Byd Cyntaf – yn edrych i lawr y Mall yn imperialaidd, rhag ofn bod yna fyfyriwr yn cambyhafio. Ar yr olwg gyntaf roedd hi'n sefyll yno achos dyna'r unig le – mwy na deg metr oddi wrth unrhyw adeilad arall – roedd hi'n bosibl i rywun ysmygu sigarét. Ond doedd Menna erioed wedi bod yn ysmygwraig. Y gwir oedd taw canol y Mall oedd y lle gorau i gasglu clecs y campws.

Gwenodd Llŷr. Flynyddoedd yn ôl, yn syth wedi i'w briodas chwalu yn deilchion, cafodd Llŷr ffling fyrhoedlog gyda Menna. Am dri mis roedd eu perthynas yn angerddol, weithiau'n swnllyd, ac yn sicr yn hysbys ar hyd y Mall. Ond wedyn daeth y ddau i'r casgliad nad oedd ganddynt yr egni i barhau â'r garwriaeth, ac y byddai angen bodloni ar berthynas fwy platonig. Gallai Llŷr ymddiried ynddi pe bai rhywbeth o bwys emosiynol yn ei gorddi. Teimlai Menna, er ei bod yn gymeriad digon preifat, y gallai agor ei chalon iddo heb ofni y byddai'r wybodaeth yn crwydro'n bell.

'Menna! Sut mae fy hoff blismones y bore 'ma? Wedi dal unrhyw droseddwyr?'

'Ha! Roedd popeth yn dawel ac yn heddychlon nes i ti gyrraedd.'

'Popeth yn iawn yn yr hen Lyfrgell yna?'

'Y gorau gallai hi fod, dan yr amgylchiadau. Mae'r lle'n llawn myfyrwyr, fel arfer. Dros dri deg ohonyn nhw wedi bod yma dros nos, y trueiniaid, a hynny ar ôl bod yn gweithio mewn tafarndai a chanolfannau ffôn.'

'Fe fydd hi'n talu ar ei ganfed iddyn nhw yn y pen draw – unwaith eu bod nhw'n graddio ac yn ymuno â banc rhyngwladol neu gronfa fantoli a dechrau ennill *bonuses* enfawr...'

'Llŷr, paid â llyncu propaganda pobl PR y Brifysgol. Ti'n gwybod taw ychydig iawn o'n myfyrwyr ni sy'n neidio i swyddi sy'n talu. Fe fydd hanner ohonyn nhw'n llenwi silffoedd yn Lidl fel gwobr am ennill gradd.'

'Mae digon o silffoedd yma yn y Llyfrgell – oni allan nhw weithio i chi?'

'Dim peryg! Dy'n ni ddim yn cael cyflogi neb newydd ar hyn o bryd. Mae fy nghyllideb wedi cael ei thorri ugain y cant eleni – dwi'n ffaelu fforddio llyfrau, tanysgrifiadau nac offer angenrheidiol hyd yn oed. Mae popeth yn dechrau chwalu yn y Llyfrgell.'

'Ond mae'r Brifysgol yn suddo mewn arian, yn ôl y bobl PR...'

'O Llŷr, creadur hygoelus fuest ti erioed! Dyw e ddim yn fater o arian, ond rhagfarn. Dy'n nhw, yr awdurdodau, ddim yn credu mewn pethau fel llyfrgelloedd. Dywedodd Yr Athro Grimshaw wrtha i'r dydd o'r blaen, "Chi'n meddwl, Menna, bod unrhyw werth erbyn hyn mewn cynnal llyfrgell? Mae'r myfyrwyr i gyd yn cael popeth maen nhw eu hangen o'u cyfrifiaduron." Triais i ddadlau fy achos, ond roedd yn waith caled: peiriannydd syml yw e, a dyw e ddim yn deall sut mae pobl eraill yn dysgu. Ond fe yw fy mòs i. Fe sy'n penderfynu. Beth alla i wneud?'

'Grimshaw? Un o hoelion wyth yr Is-Ganghellor? Does dim llawer o ddewis 'da ti ond aros nes iddo fynd allan o ffasiwn a chael y sac am gwestiynu gair Diocletian – mae'n digwydd i bob un ohonyn nhw yn eu tro, fel gwragedd Harri'r Wythfed.'

'Cyngor da, Llŷr. Ond dyw e ddim lot o help inni heddi. Mae'r system ddiogelwch wedi torri eto, ond alla i ddim cael caniatâd i brynu un newydd.'

Gwenodd Llŷr eto, yn y ffordd fwyaf cysurus bosibl, a ffarwelio â Menna, gan addo cwrdd â hi eto cyn hir.

Ymhen pum munud roedd yn eistedd yn yr ystafell seminar, yn aros am y flwyddyn gyntaf.

*

Grŵp bach ond bywiog oedden nhw – cyfuniad, fel arfer, o fyfyrwyr aeddfed, profiadol fu'n gweithio i'r heddlu, mewn carchar neu i'r gwasanaeth prawf, a myfyrwyr iau, glas, yr oedd y cyfle i drafod trosedd a chosb yn atyniad iddyn nhw am sawl rheswm. Roedd aelodau'r grŵp cyntaf yn wybodus a sinigaidd, y lleill yn ddiniwed ac idealistig. Y ffordd hawsaf o drefnu'r seminar hon, gwyddai Llŷr, fyddai gosod barn un grŵp yn erbyn y llall, ac eistedd 'nôl i fwynhau'r ddadl.

Ond y tro yma aeth y cynllun hwn o'i le. Y cwestiwn dan sylw oedd, 'beth yw diben cosb yn y gymdeithas sydd ohoni?' Disgwyliai Llŷr y byddai'r myfyrwyr yn anghytuno'n naturiol, rhai'n meddwl taw ail-addysgu a chywiro oedd pwrpas unrhyw gosb, eraill yn dadlau, ar sail hir brofiad, mai'r gorau y gellid ei ddisgwyl fyddai diogelu'r cyhoedd rhag difrod pellach gan droseddwyr.

Branwen Meadows, un o swyddogion Undeb y Myfyrwyr, oedd y gyntaf i siarad. 'Cosb? Beth yw pwrpas cosbi rhywun?' meddai â dicter amlwg yn ei llais, 'gofynnwch i'r Is-Ganghellor a'i ffrindiau! Pam eu bod nhw'n cosbi myfyrwyr am ddiogelu eu hawl i brotestio? Beth yw *pwrpas* bygwth dwyn achos llys yn erbyn Llywydd Undeb y Myfyrwyr – jyst achos bod ychydig o ffenestri wedi cael eu torri?'

Ymunodd sawl un arall yn y sgwrs i gefnogi geiriau Branwen, a chyn hir roedd tymheredd y drafodaeth wedi codi'n sylweddol.

Doedd Llŷr ddim wedi dilyn hynt a helynt y brotest yn fanwl, ond gwyddai ddigon am yr hanes. Roedd Undeb y Myfyrwyr wedi darganfod bod cwmni 'amddiffyn' mawr yn ariannu gwyddonwyr a pheirianwyr yn y Brifysgol i ddyfeisio *drones* newydd, i'w defnyddio yn erbyn eu pobl eu hunain gan lywodraethau drwgdybus. Cynhaliwyd nifer o brotestiadau ar y campws gan yr Undeb, heb ymateb o unrhyw fath gan awdurdodau'r Brifysgol. Wedyn penderfynodd rhai myfyrwyr radical, dan ddylanwad penboethiaid mewn sect Drotscïaidd fechan, i feddiannu swyddfeydd yr Is-Ganghellor. Torrwyd tair ffenestr yn ystod ymgais gan y Brifysgol i roi taw ar y brotest.

Ar ôl i bopeth ddod i ben aeth yr Is-Ganghellor yn gandryll. Gosododd ddirwy ar yr Undeb am y colledion – nid yn unig y ffenestri ond yr anghyfleustra i swyddogion y Brifysgol – a phan wrthododd Llywydd yr Undeb dalu, bygythiodd Yr Athro Jones ddwyn achos llys yn ei erbyn ef yn bersonol.

Erbyn hyn roedd Damian Williams, un o arweinwyr y brotest, yn annerch y seminar.

'Dyw cosbi ddim yn rhan o broses gyfreithiol niwtral, fel mae'n darlithwyr yn honni. Un o arfau'r dosbarth llywodraethol yw e, a'i nod yw cadw eu grym a gormesu pobl gyffredin. Chi wedi darllen am Streic y Glowyr yn wythdegau'r ganrif ddiwetha? Gwnaeth llywodraeth Margaret Thatcher bob peth posib, yn gyfreithlon, i ladd ysbryd y gweithwyr.'

Roedd hyn yn ormod i aelod arall o'r seminar, Stan Oldham. Roedd ei dad yn löwr ac yn undebwr brwd yng Nghwm Hecate. Ond roedd Stan wedi cefnu'n llwyr ar ei wreiddiau teuluol, gan ddod yn un o aelodau ifancaf y Blaid Geidwadol leol. Safodd yn sydyn, yn ei drowsus tywyll a'i siaced frethyn Harris, hances las wedi'i gosod yn daclus yn ei boced, a dechrau ymosod ar Damian.

'Williams, hanner pan y'ch chi – fel arfer. Fe wnaeth y Fendigaid Margaret – heddwch i'w llwch! – achub ein gwlad rhag cael ei difetha gan bobl fel chi ac eithafwyr gwleidyddol ymysg y glowyr, rhai oedd yn meddwl y gallen nhw ddychryn y mwyafrif llethol o bobl barchus. Eu cosb oedd cael eu taflu ar y clwt, diolch byth. A gobeithio y cewch chi gosb gyffelyb, Damian Williams, chi a'ch cyfeillion, am beidio â dangos parch i'r Athro Jones – ac am ddifrodi eiddo'r Brifysgol. Ymddygiad anfaddeuol. Cywilydd arnoch chi i gyd.'

'Stan, cer i grafi! Yr hen ffosil â ti. Sut allet ti amddiffyn dyn sy'n adweithio mewn ffordd mor afresymol ac eithafol?'

'Eithafol? Ydych chi o ddifri? Ydy hi'n *eithafol* i geisio diogelu eich *alma mater* rhag gormes grŵp o fyfyrwyr – *os* ydyn nhw'n fyfyrwyr, yn hytrach na therfysgwyr proffesiynol – sy'n anelu at lusgo enw da'r Brifysgol trwy'r baw? Achos dyna beth maen nhw'n wneud – tanseilio'r ymchwil rhagorol sy'n cael ei wneud yma ar y campws, a phardduo enw staff sy'n gwneud eu gorau dros eu sefydliad.'

'Stan,' meddai Branwen, 'dyna gyhuddiad difrifol iawn! Wyt ti wir yn awgrymu ein bod ni ddim yn fyfyrwyr go iawn? Ein bod ni'n rhyw fath o "bumed golofn" y Blaid Gomiwnyddol? Ti'n byw yn y gorffennol, yn dal i frwydro yn y Rhyfel Oer.'

Er ei fod yn mwynhau'r ddadl yn fawr teimlai Llŷr y dylai lywio'r sgwrs 'nôl at briod destun y seminar, sef cosb:

'Gan bwyll nawr, bawb. Dy'n ni ddim moyn peri achos llys arall, yn arbennig achos enllib. Stan, esboniwch wrthon ni beth y'ch chi'n meddwl yw amcanion yr Is-Ganghellor wrth gosbi Llywydd Undeb y Myfyrwyr?'

'On'd yw hi'n amlwg, syr? Eu cosbi nhw am eu troseddau.'

'A gwneud iddyn nhw feddwl ddwywaith cyn gweithredu eilwaith?'

'Dwi ddim yn meddwl. Mae'r rhain yn droseddwyr rhonc, greddfol. Dy'n nhw ddim yn debyg o weld y golau a throi i fod yn ddinasyddion parchus yn y dyfodol agos, ydyn nhw?'

'Felly, nod cyfiawnder, yn syml iawn, yw dial am drosedd, yn eich tyb chi?'

'Ie, wrth gwrs. Hynny, a chadw troseddwyr rhag niweidio'r cyhoedd. Dyna pam bod carcharu troseddwyr mor effeithiol. Byddai dienyddio hyd yn oed yn fwy...'

'Ac felly does dim pwynt defnyddio cyfnod dan glo, er enghraifft, fel cyfle i newid agwedd y carcharor at ei drosedd?'

Ond cyn i Stan gael cyfle i ateb, daeth llais newydd o ben arall yr ystafell. Prin iawn oedd cyfraniadau Len Cadwalladr, ond pan godai ei lais byddai pawb yn distewi a gwrando arno'n astud. Roedd yn ddyn canol oed â daliadau cryfion iawn, un oedd wedi bod yn swyddog undeb digyfaddawd yn y gwasanaeth prawf cyn cyrraedd y Brifysgol.

'Esgusodwch fi, ond mae'n ymddangos ein bod ni'n cymryd yn ganiataol bod pawb yn gytûn am natur y cyfiawnder sy'n sail i'r holl gosbi yma. Cyfiawnder yr awdurdodau yw hwn, wedi'r cyfan. Yr Is-Ganghellor sy'n gweithredu fel y deddfwr, y barnwr a'r rheithgor. Ond mae'n bosib gweld pethau fel arall. Ddyweden i taw'r Brifysgol yw'r troseddwr, trwy roi adnoddau ar waith i greu arfau fydd yn lladd llawer o bobl ddiniwed dramor. Yn wir, gallech chi feddwl am yr Is-Ganghellor fel llofrudd, yn anuniongyrchol o leiaf.

'Os felly, rhaid gofyn y cwestiwn am gosb mewn ffordd wahanol. Dylen ni fod yn ystyried, nid sut i gosbi myfyrwyr diniwed, ond sut orau i wneud i'r Is-Ganghellor dalu am ei droseddau difrifol. Beth fyddai cosb deilwng iddo?'

Roedd y geiriau hyn mor annisgwyl nes i bawb eistedd yn dawel am rai eiliadau, cyn i Stan sylweddoli bod y lleill yn disgwyl am ymateb ganddo. Ond gallai Llŷr weld na fyddai araith arall gan Stan yn ychwanegu at werth addysgol y seminar, ac ar ben hynny roedd yr awr wedi dod i ben.

'Len, chi'n ein harwain ni at dir peryglus – testun seminar arall, debyg iawn, ar seiliau cyfiawnder yn ein cymdeithas. Yn anffodus mae amser wedi ein trechu. Diolch am sesiwn hynod ddiddorol. Peidiwch ag anghofio cyflwyno'ch ysgrifau ar garcharu imi cyn diwedd dydd Gwener.'

Dechreuodd y myfyrwyr hel eu papurau a'u cliniaduron

at ei gilydd a gadael yr ystafell seminar, ond arhosodd Stan Oldham i gael gair preifat gyda Llŷr.

'Syr, bydd rhaid ichi faddau imi am achosi trafferth yn y seminar. Am ryw reswm mae'r un peth yn digwydd bob tro: tynnu nyth cacwn am fy mhen pan fydda i'n agor fy ngheg. Dwi'n methu deall pam mai fi yw'r unig un sy'n mynegi barn fyddai'n gyffredin iawn tu allan i'r dosbarth hwn.'

'Does dim angen ichi ymddiheuro, Stan. Ry'ch chi yn llygad eich lle. Chi sy'n cynrychioli'r math o farn am griminoleg sy'n arferol iawn ymhlith pobl gyffredin. Ond cofiwch hefyd pam eich bod chi yma yn y Brifysgol yn y lle cynta. Dy'ch chi ddim yma i adleisio barn y bobl, ond i gwestiynu syniadau pobl – i herio eu hagweddau greddfol, difeddwl, trwy edrych ar bethau'n ddadansoddol ac yn feirniadol.'

'Ond dyna beth wnes i, syr – dadansoddi eich barn chi a barn y myfyrwyr eraill, a dod i gasgliad rhesymol arall – sy'n digwydd bod yn debyg iawn i farn pobl gyffredin. A dwi ddim yn siŵr am eich theori ar amcanion addysg mewn prifysgol. Mae'n swnio'n idealistig i mi, ac yn hen ffasiwn braidd. Yn ôl yr Is-Ganghellor ry'n ni yma i wasanaethu anghenion economi'r wlad...'

'Rhaid inni gytuno i anghytuno ar y cwestiwn hwnnw, Stan. Ond esgusodwch fi – does dim llawer o amser 'da fi i gipio tamaid i fwyta cyn anerchiad yr Is-Ganghellor y prynhawn yma.'

'Iawn. Prynhawn da ichi, syr.'

'Un peth ola, Stan...'

'Ie, syr?'

'Peidiwch defnyddio'r gair "syr", os gwelwch yn dda. Dyw myfyrwyr ddim wedi galw eu darlithwyr wrth y teitl hwnnw ers 50au'r ganrif ddiwetha.'

'O'r gorau, os mynnwch chi, Dr Meredydd.'

4

Dyddiad: 28/09/2015, 11:37pm

I: Yr Is-Ganghellor

Oddi wrth: Cassandra Evans, Swyddfa Gyfathrebu

Testun: Eich anerchiad blynyddol i staff y Brifysgol

Annwyl Is-Ganghellor

Diolch am gael gweld y drafft o'ch cyflwyniad i'r staff yr wythnos nesaf. Nodais nifer o bwyntiau bach yn y testun (gw. isod). Hefyd dwi wedi bod mor hy â chynnig rhai newidiadau mwy sylweddol, lle y gellir, yn fy marn i, fod yn llai ymosodol. Dwi'n llawn sylweddoli bod gennych neges ddifrifol i'w chyfleu, ond tybed a oes ffordd fwy liniarol, fwy cymedrol o'i mynegi? Wedi'r cyfan, oni fyddai'n well peidio â gwneud rhagor o elynion, a hynny yn ddiangen? Dim ond awgrymiadau yw'r rhain. Byddaf yn deall yn iawn os ydych chi'n dewis eu hanwybyddu.

Yn gywir,

Cassandra.

CYFLWYNIAD BLYNYDDOL YR IS-GANGHELLOR I STAFF Y BRIFYSGOL

Prynhawn da i chi i gyd. Mae'n braf iawn gweld bod cynifer ohonoch wedi dewis bod yma heddiw, a bod y theatr yn llawn.

Gyda llaw, dyma fi'n cadarnhau bod y gair wedi mynd at bob Ysgol eich bod chi'n disgwyl y bydd pawb heb eithriad yn bresennol. CE

Fel arfer hoffwn i gyflwyno darlun ichi o gyflwr a gobeithion ein Prifysgol annwyl, wrth inni symud yn ein blaenau yn hyderus i greu sefydliad llwyddiannus a chynaliadwy.

Ble i ddechrau ond ar y maes rygbi? Bues i'n ddigon ffodus i fod yn Stadiwm Erebus ddoe i weld prif dîm y Brifysgol yn trechu tîm Prifysgol Aberlethe yn rownd derfynol y bencampwriaeth, o bum pwynt ar hugain i ddim. Canlyniad disgwyliadwy, wrth gwrs, ond canlyniad canmoliaethus serch hynny. Fel rydych chi'n gwybod, roedd gan yr hen Rufeiniaid ddywediad doeth, 'mens sana in corpora sana'. Er ein bod ni'n anrhydeddu cyraeddiadau meddyliol yma ym Mhrifysgol Aberacheron rydyn ni'n cydnabod hefyd bod y corff dynol yn gallu rhagori. Felly gadewch inni ddathlu! Hip hip hwrê!

Dwi ar ddeall mai 'Mens sana in corpore sano' yw'r ffurf gywir. Nid y bydd unrhyw un yn sylwi, yn enwedig ers inni gau Adran y Clasuron dair blynedd yn ôl. CE

Llongyfarchiadau hefyd i'r Adran Astudiaethau Chwaraeon am gipio lle ar frig tabl adrannau chwaraeon y wlad. Mae'r Adran hon yn dangos i weddill y Brifysgol sut orau i baratoi pobl ifanc ar gyfer y byd tu allan, lle bydd rhaid iddyn nhw gystadlu'n ffyrnig a brwydro i drechu pobl lai er mwyn bod yn llwyddiannus ac ennill eu priod le. Cystadlu! Cystadlu! Dyna yw ein moto newydd yma.

Arwyddair presennol y Brifysgol, wrth gwrs, yw 'Dysg a doethineb yw ein harfau'. Ydych chi am imi ddechrau'r broses o gael gwared ar y geiriau hen ffasiwn, di-fflach hyn, a mabwysiadu eich moto chi? CE

Nawr, edrychwch ar y tabl nesaf. Mae'n dangos canlyniadau arolwg ABWYD - Arolwg Boddhad Wythnos y Dysgwyr. Fe welwch chi fod y Brifysgol wedi dringo o rif 98 llynedd i rif 74

eleni! Prawf, os oes angen prawf, ein bod ni'n cynnig profiad rhagorol i'n cwsmeriaid. Adeilad newydd i'r Undeb, rhagor o neuaddau preswyl moethus, meysydd pêl-droed pob tywydd, mosg newydd – pob un yn ffrwyth ein rhaglen fuddsoddi enfawr. Dim syndod bod ein myfyrwyr yn mwynhau bod yma.

Ydych chi'n meddwl y dylech chi sôn ychydig am eu profiad addysgol hefyd? Gwn na fyddwch chi'n awyddus i dynnu sylw at y sgandal am fyfyrwyr yn prynu canlyniadau da yn y ffeinals llynedd, ond mae 'da ni stori dda i'w dweud am y rhai sy wedi llwyddo i gael 'firsts' heb help allanol. CE

Yn ôl ymchwil ein Swyddfa Gyllid, mae pob pwynt ychwanegol ar y tabl yn cyfateb i £200,000 o incwm ychwanegol i'r Brifysgol! Felly fy neges ichi heddiw yw: daliwch ati! Helpwch ni i sicrhau bod ein myfyrwyr yn hapusach byth, fel ein bod ni'n cyrraedd ein targed pum mlynedd – sef cipio rhif 25 ar y tabl, a churo Prifysgol Aberlethe.

Fydda i ddim yn ymddiheuro am ailadrodd ichi eto eleni, fel bob blwyddyn, mai'r myfyrwyr yw ein meistri, nid y Cyngor Cyllido na'r Llywodraeth. Hebddyn nhw fydden ni ddim yn ennill cyflog o gwbl. Rwy wedi cael fy meirniadu am ddweud hyn, ond dyna'r gwir plaen: 'Y cwsmer sy'n gywir, bob tro.' Os oes unrhyw un ohonoch chi sy'n amau dilysrwydd y gair 'cwsmer', meddyliwch am eu dylanwad nhw. Maen nhw'n gallu cwyno am ddarlithwyr israddol, cwestiynu eu marciau mewn arholiadau, neu hyd yn oed hel eu pac a mynd i brifysgol arall, os oes rhywbeth sy ddim at eu dant. Peidiwch byth â'u cymryd yn ganiataol!

Ac wrth gwrs rydyn ni'n gwneud ein gorau glas i ddenu rhagor o fyfyrwyr. Mae ein pobl farchnata wrthi'n llunio rhaglen hyrwyddo newydd, ac yn fuan fe welwch chi'r hysbysebion: y geiriau 'En suite, on-line, on track to success', o flaen llun o

dîm rygbi merched y Brifysgol ar ôl eu buddugoliaeth, yn codi'r cwpan mawr a logo newydd y Brifysgol arno.

Fe fydd rhai ohonoch chi'n cofio imi sôn am ein cynlluniau cyffrous i sefydlu campws newydd sbon yn Indonesia. Galla i gyhoeddi heddiw bod y cynlluniau hyn yn codi stêm. Mae ganddom ni bartner masnachol rhyngwladol, LearnFast Global Inc., sy'n rhannu ein gweledigaeth yn llawn ac sy'n barod i fuddsoddi £40m yn y prosiect. Rydyn ni wedi dod o hyd i safle rhagorol ar arfordir Swlawesi, lle y byddwn yn codi'r campws mwyaf yn y wlad - gyda digon o dir yn weddill ar gyfer estyniad, Cymal 2. Ar y sgrin fe welwch chi argraff gan artist o'r Brifysgol ar ddiwedd Cymal 1 - pensaernïaeth drawiadol, gyfoes, adeiladau academaidd a phreswyl o'r safon gorau. Ac yng nghanol y cyfan, y Deml Ddysg, sy'n dwyn ei hysbrydoliaeth o hen demlau Hindŵaidd y wlad. Fydd dim byd hen ffasiwn, fodd bynnag, am natur yr addysg. Bydd y myfyrwyr yn astudio pynciau defnyddiol megis busnes, cyfrifiadureg a meddygaeth - ac astudiaethau chwaraeon wrth gwrs - fydd o les mawr i wlad sy'n datblygu'n gyflym.

Does dim lluniau o'r campws newydd 'da ni yn y swyddfa. Fyddai'n bosibl ichi anfon detholiad ata i er mwyn eu dangos ar y sgrin? CE

Ar ben hynny fe fydd modd i fyfyrwyr y campws newydd ymweld ag Aberacheron o bryd i'w gilydd, i ddilyn cyrsiau sydd ar gael yn y Brifysgol yma a chael blas ar fywyd nodweddiadol Gymreig. A rwy'n mawr obeithio y bydd rhai myfyrwyr o 'ma'n mynd allan i Swlawesi, er mwyn paratoi eu traethodau hir ar y traethau hir!

Digri iawn, Is-Ganghellor. CE

Am y tro cyntaf gallaf gyhoeddi ichi nawr yr enw rwy wedi'i

ddewis ar gyfer y campws newydd – 'Prifysgol Alfred Russel Wallace'. Wallace, fel y bydd rhai ohonoch chi'n cofio, oedd y gwyddonydd arloesol o Gymru a aeth i Indonesia, gan ddatblygu ei theori am ddetholiad naturiol cyn bod cyfle i Charles Darwin gyhoeddi ei fersiwn e yn ei Origin of Species. *Alla i ddim meddwl am deyrnged fwy priodol er cof am Wallace na phrifysgol sy'n dwyn ei enw – sefydliad, does gen i ddim amheuaeth, fydd yn mynd o nerth i nerth i fod yn un o brifysgolion enwocaf Asia!*

Allai neb ddweud nad yw ein Prifysgol yn paratoi ein myfyrwyr ar gyfer y byd tu allan. Dyma sleid sy'n dangos bod y rhan fwyaf ohonyn nhw'n cael hyd i swyddi a chyflogau da ar ôl graddio. Y rheswm, wrth gwrs, yw eu bod yn astudio pynciau ymarferol, pynciau go iawn sy'n atyniadol i gwmnïau llwyddiannus - yn hytrach na hanes neu ieithoedd modern neu'r clasuron, sy'n dda i ddim yn y byd go iawn. Yn ystod yr wythnosau nesaf bydda i'n ymweld â'r adrannau i gyd i wneud yn siŵr eu bod yn cwrdd ag anghenion ein cyflogwyr, ac yn fwy pwysig byth, eu bod nhw'n talu eu ffordd. Gallwch chi i gyd fod yn sicr o un peth: ni all y Brifysgol hon fforddio i gario passengers *mewn oes gystadleuol.*

Dywedais i gynnau mai yn nwylo'r myfyrwyr mae dyfodol y Brifysgol erbyn hyn. Hollol wir.

Ond mae ochr arall i'r geiniog: ein bod ni'n disgwyl i bob myfyriwr weithio'n galed i ennill y radd orau bosibl. Rydyn ni'n dibynnu ar ganlyniadau da yn yr arholiadau i allu cadw ein lle ar y gynghrair ac i gystadlu yn erbyn ein cystadleuwyr.

Mae'n dilyn felly bod dim lle i fyfyrwyr sydd am dorri'r cytundeb hwn. Dim ond lleiafrif bach iawn ydyn nhw. Y rhan fwyaf ohonynt yn bobl anaeddfed sy'n ysu i greu helynt i'r Brifysgol - penboethiaid, eithafwyr, y gelyn mewnol. Byddai'n well ganddyn nhw chwarae ar fod yn wleidyddion amatur na chwarae eu rhan briodol yn ein gwaith academaidd. Yn ddiweddar torrodd rai ohonyn nhw i mewn i fy swyddfa - gweithred gwbl anghyfreithlon. Mae'n ddrwg gen i ddweud mai syniad Llywydd Undeb y Myfyrwyr oedd hwn. Gwnaf yn siŵr ei fod yn talu'n hallt am ei drosedd, a thrwy hynny atal unrhyw un arall sy'n cael ei demtio i gambyhafio rhag dilyn ei esiampl. Allwn ni ddim anwybyddu tor cyfraith yn y Brifysgol hon. Wedi'r cyfan, mae ganddom ni Ysgol y Gyfraith ein hunain sy'n ceisio cynnal y gyfraith a'i diogelu.

Dim ond awgrym: fyddai'n well, Is-Ganghellor, ichi hepgor sylwadau estynedig ar helynt yr Undeb? Erbyn hyn dy'n ni wedi llwyddo i ynysu'r myfyrwyr problemus. Y peth olaf dy'n ni'n ddymuno yw i ragor o fyfyrwyr (hawdd eu mowldio) gydymdeimlo â'r Llywydd a'i gyfeillion, ac ochri gyda nhw. CE

Hoffwn i droi nawr at ymchwil. Ymchwil yw'r gwaed coch sy'n llifo trwy wythiennau'r Brifysgol. Mae'n dod ag ocsigen i bob rhan o'r campws ac yn ein galluogi i dyfu ac i ehangu. Mae'n dda gen i adrodd bod ansawdd ein hymchwil yn dal i wella, ym mhob pwnc bron. Llynedd derbyniwyd dros £100m o grantiau, a chychwynnodd pedwar deg o brosiectau ymchwil newydd. Os pariff y perfformiad hwn, does dim dwywaith y byddwn ni'n mynd heibio Prifysgol Aberlethe ac yn gallu gwneud cais i ymuno â Chylch Belgravia, y grŵp elît o brifysgolion ymchwil gorau'r wlad. O'r diwedd byddwn ni'n eistedd wrth yr un bwrdd yn Llundain ag is-gangellorion Rhydyfed a Chaerfraint.

Does dim angen i mi bwysleisio cymaint y bydd yr ymarferiad ymchwil gwladol (CYBoL) yn ei olygu inni. Y cyfan ddyweda i wrthoch chi nawr yw hyn: bydda i'n disgwyl i bob un ohonoch chi sicrhau bod eich cyhoeddiadau ymchwil yn cyfrannu'n sylweddol at sgôr eich Ysgol yn y CYBol nesaf.

Mae rhai Ysgolion yn rhagori yn y dasg hon, ac yn cyhoeddi

ymchwil o safon rhyngwladol. Byddan nhw'n siŵr o wneud yn arbennig o dda y tro nesaf. Ond rhaid dweud bod Ysgolion eraill yn peri cryn bryder imi. Ysgolion lle does dim digon o ymchwil yn digwydd. Lle mae'r ymchwil yn israddol. Lle dyw'r staff ddim yn dod dan bwysau i wella eu perfformiad. Galla i addo un peth iddyn nhw: byddan nhw'n teimlo'r gwres – yn fuan iawn.

Does dim esgus am fethu. Wedi'r cwbl, os galla i hyd yn oed, sy'n gweithio bron pob awr o'r dydd i lywio llong y Brifysgol trwy foroedd tymhestlog, neilltuo digon o amser yn ystod yr wythnos i wneud fy ymchwil a'i gyhoeddi mewn cylchgronau o safon, gall unrhyw un ohonoch chi gyflawni llawer mwy.

Felly, bydda i'n ymweld â phob Ysgol yn ystod yr wythnosau nesaf. Bydda i'n gofyn cwestiynau treiddgar ichi. Os na fydda i'n derbyn atebion boddhaol, gallwch ddisgwyl... canlyniadau. Peidied neb â meddwl y gall bywyd academaidd fod yn hamddenol heddiw. Dydyn ni ddim yma i ymlacio.

Rwy'n ymwybodol bod rhai ohonoch chi'n gwrthod rhannu ein gweledigaeth ar gyfer y Brifysgol. Rydych chi'n cwyno am y ffordd mae'r Brifysgol yn cael ei rheoli. Rydych chi'n hiraethu am yr oes a fu, oes aur – oes ddychmygol. Rydych chi'n gwrthod derbyn bod y Brifysgol bellach yn fusnes, yn gwmni – i bob pwrpas yn rhan o'r sector preifat. Mae 'na garfan fach – dinosoriaid sy'n dal i lynu wrth gredoau Marcsaidd hen ffasiwn – sy'n meddwl y dylai pawb yn y Brifysgol ennill yr un cyflog. Maen nhw'n beirniadu'r ffaith bod cyflog yr Is-Ganghellor a'r dirprwyon wedi codi i adlewyrchu cyfrifoldebau ychwanegol. 'Ffiaidd' oedd disgrifiad un ohonyn nhw. Wel, dwi ddim yn mynd i syrthio ar fy mai. Fel y dywedodd rhywun callach o lawer, 'os yw Cyngor y Brifysgol yn barnu bod rhaid iddyn nhw dalu pris y farchnad er mwyn cadw talent brin, chwarae teg iddyn nhw'.

Mae gen i amheuon difrifol am y paragraff hwn, Is-Ganghellor.

Ydy hi'n ddoeth sôn am eich cyflog? Mae'n bwnc sydd wastad yn corddi'r dyfroedd. Cofiwch y byddwch chi'n derbyn codiad arall, o ryw £50,000, o fewn y mis nesaf, sy'n bownd o godi stŵr o fewn y Brifysgol – a thu allan. Bydden i'n awgrymu'n gryf eich bod chi'n dileu'r rhan hon o'ch anerchiad. CE

(Diddorol nodi, gyda llaw, mai'r bobl 'na – y bobl sy'n achwyn ac sy'n cael pleser o bardduo enw'r Brifysgol – yw'r bobl sy ddim yn perfformio'n dda yn eu gwaith dysgu a'u gwaith ymchwil.)

Fel unrhyw fusnes mae'r Brifysgol hon yn benderfynol o lwyddo – yn wyneb cystadleuaeth ffyrnig ac mewn awyrgylch ansefydlog. Fy marn bendant yw bod llwyddo yn dibynnu ar ddau ffactor: arloesi a ffrwyno ein costau. All neb ddweud nad ydyn ni'n torri tir newydd, yn y labordy ac ar y maes rygbi. Rydyn ni wedi gwerthu ein gwasanaethau i gyd, bron, i'r sector preifat, sy'n medru eu rheoli yn llawer mwy effeithlon. Ond mae mwy i'w wneud i dorri costau. Afraid dweud mai'r staff yw ein prif gostau. Dyw'r Brifysgol ddim yn gallu fforddio cario staff sy ddim yn gallu, neu sy ddim yn fodlon, tynnu eu pwysau. Fel y gwelodd Charles Darwin ac Alfred Russel Wallace ganrifoedd yn ôl, yn y pen draw fydd gan y gwannaf ddim dyfodol. Byddwn ni'n eu helpu nhw i fynd – mewn ffordd ddyngarol a chywir wrth reswm – er mwyn rhoi lle i bobl eraill sy'n medru cyfrannu'n llawn ac sy'n rhannu ein huchelgais.

Os rhywbeth, rydyn ni wedi bod yn or-garedig yn y gorffennol. Ers imi gyrraedd dair blynedd yn ôl, gan etifeddu sefyllfa druenus – yn wir, cawlach – oddi wrth fy rhagflaenydd, rwy wedi gweithio'n galed iawn dros y sefydliad hwn. Yn y broses honno rwy wedi bod yn rhy barod i anwybyddu gwendid a methiant, i beidio â gwneud y penderfyniadau anodd. Ond mae'r amser wedi dod i wasgu'n galed ar unrhyw un sy'n peidio â gweithio gorff ac enaid i sicrhau bod y Brifysgol hon yn llwyddiant.

Yn olaf hoffwn i ddweud hyn wrth y gweddill ohonoch – y mwyafrif llethol o staff sy'n gwneud eich gorau dros y Brifysgol sydd mor annwyl inni. Gofynnaf eto am eich cefnogaeth yn y cyfnod sydd i ddod. Gofynnaf ichi ddwysáu eich ymdrechion a sicrhau dyfodol disglair i Brifysgol Aberacheron!

Diweddglo nerthol, os gaf i ddweud, Is-Ganghellor. Gwnaf yn siŵr bod y gymeradwyaeth, ar ôl ichi eistedd, yn fyddarol. CE

5

Cerddodd Llŷr yn fyfyriol i lawr y córidor a stopio o flaen drws ei swyddfa.

Diwrnod glawog arall, dydd Gwener, a diwrnod tyngedfennol. Y prynhawn hwnnw deuai'r Is-Ganghellor a'i griw i'r adeilad yn swyddogol, i archwilio'r Ysgol. Beth fyddai'n digwydd tybed? Pa gwestiynau y gellid eu disgwyl? Fyddai unrhyw un yn colli ei dymer? Fyddai hi'n bosib iddo ddyfalu'r canlyniadau, erbyn diwedd y sesiwn, trwy astudio iaith, ac iaith corff, y tri archwilydd?

Syllodd Llŷr ar yr arwydd ar ei ddrws. A chymryd cam yn ôl yn sydyn. Roedd wedi newid! Yn wir, roedd arwydd newydd sbon yna.

Dr Llŷr Meredydd
Uwch Dadarlithydd
Adran Griminoleg
Ysgol y Gyfraith

A fu ei gais am y newid i Swyddfa'r Ysgol yn llwyddiannus? Doedd e ddim yn gallu cofio ei gyflwyno. Rhaid bod Lisa, chwarae teg iddi, wedi paratoi'n drylwyr ar gyfer yr ymweliad, ac adnewyddu'r arwyddion i gyd. Ond roedd pawb yn paratoi, wrth gwrs. Roedd ef ei hun wedi cyrraedd yn gynnar er mwyn casglu ei feddyliau a rihyrsio ei eiriau mewn ymateb i'r cwestiynau oedd yn debyg o godi.

Roedd e'n camu yn ôl ac ymlaen ar hyd yr ystafell, yn sibrwd y geiriau y byddai'n eu defnyddio yn nes ymlaen yn y dydd, pan ddaeth cnoc betrus ar y drws.

'Dewch!'

Safai Branwen Meadows ar y trothwy. Rhywsut roedd hi wedi colli'r osgo hyderus a'r agwedd bendant oedd ganddi yn y seminar y dydd o'r blaen. Daliai amlen fawr o bapurau yn ei llaw chwith.

'Dewch i mewn, Branwen! Steddwch! Chi'n moyn trafod eich ysgrif, siŵr o fod?'

'Ym, mewn ffordd, ydw. Fi'n cael tipyn o drafferth gweithio allan sut i ddeall y theori ad-daliadol am gosbi, a'i gysylltiad â'r Cytundeb Cymdeithasol.'

'Ddim chi yw'r unig un, mae arna i ofn.'

A lansiodd Llŷr i grynodeb o'i ddarlith ar Thomas Hobbes a Jean-Jacques Rousseau. Gwrandawodd Branwen yn amyneddgar, ond heb gadw nodiadau. O dipyn i beth sylweddolodd Llŷr nad oedd hi wedi dod i drafod daliadau athronwyr marw yn unig.

Ar ôl ugain munud cododd Branwen, diolch i Llŷr am ei esboniadau caredig a cherdded at y drws. Yn sydyn arhosodd, troi yn ôl, a chan edrych i lawr ar yr amlen, dywedodd,

'So, mae 'na rywbeth arall licen i ofyn ichi.'

Saib. Fyddai ei geiriau hi ddim yn dod yn rhwydd, ond yn y pen draw meddai,

'Chi'n cofio ein protest yn swyddfeydd yr Is-Ganghellor? Beth yw'ch barn chi? Chi'n cytuno gydag awdurdodau'r Brifysgol bod ein gweithred yn anghyfreithlon ac yn anfoesol?'

'Wel, dwi ddim yn siŵr am hynny. Ond rhaid imi gyfadde ei bod hi'n codi'r galon i weld bod rhai myfyrwyr heddiw yn dal i fod yn barod i wrthryfela! Pan o'n i yn y brifysgol, ar ddechrau'r saithdegau, bydden ni'n cael *sit-ins* bob blwyddyn. Ro'n ni'n hynod ddifrifol a disgybledig. Bydden ni'n trefnu cyfres o seminarau a darlithiau ar bynciau fel chwyldro a Marcsiaeth, ac yn gwahodd arbenigwyr o'r tu allan i ddod i'n pencadlys – yn swyddfeydd yr Is-Ganghellor, wrth reswm!'

'Wow! Rhaid bo chi'n gweld ein protest ni fel peth llipa, diniwed...'

'I'r gwrthwyneb, dwi'n meddwl eich bod chi'n ddewr, ac yn egwyddorol iawn.'

'Tasen i'n rhannu gwybodaeth gyda chi, yn gyfrinachol, allech chi gadw'r gyfrinach?'

'Wrth gwrs, oni bai eich bod chi wedi torri'r gyfraith.'

'Ond yn ôl y Brifysgol dyna'n gwmws beth naethon ni!'

'Yn ôl y Brifysgol. Ond dyw'r Brifysgol ddim yn gorff monolithig, mae'n cwmpasu pob math o farn, gan gynnwys barn ar sut i ddehongli'r gyfraith.'

'Alla i siarad yn blaen, 'te? Mae e wedi bod yn pwyso ar fy meddwl ers sbel.'

'Cerwch mlaen. Dwi'n glustiau i gyd.'

'Wel, ar ôl inni feddiannu swyddfeydd yr Is-Ganghellor gawson ni drafodaeth am beth i neud nesa. Un o'r awgrymiadau oedd ein bod ni'n achub ar y cyfle o fod ym mhencadlys y Brifysgol i chwilio am wybodaeth oedd yn ymwneud â'n cwyn – contractau'r Brifysgol i wneud ymchwil ar *drones*. Cynigiodd John Bevan – mae e'n astudio cyfrifiadureg ac yn haciwr rhagorol – i dorri i mewn i'r system wybodaeth electronig sy 'da nhw yn y swyddfa. Mae John yn foi sy'n joio sialens, chi'n gweld. Roedd pawb yn gytûn. Gweithiodd John trwy'r nos i ddarganfod y cyfrineiriau fyddai'n rhoi mynediad i'r system gyfan. Am bedwar o'r gloch y bore fe lwyddodd e. Erbyn naw o'n ni wedi ffeindio rhai dogfennau diddorol iawn.

'Un o'n nhw oedd llythyr i'r Is-Ganghellor oddi wrth bennaeth cwmni BDF Systems. Roedd e'n cynnig nifer o "fesurau personol" i dalu am "wasanaethau" gan yr Athro Jones. Hefyd roedd copi o dderbynneb yr Is-Ganghellor, yn diolch i'r cwmni am ei haelioni ac yn cadarnhau y byddai'r ohebiaeth hon yn cael ei chadw'n "hollol gyfrinachol".'

'Diawl! BDF – dyna'r cwmni gafodd y contract i ddarparu systemau *drones* i'n llywodraeth ni, ac i sawl gwlad yn y Dwyrain Canol. Darllenais i am y busnes yn ddiweddar. Chi wedi cadw copïau o'r llythyrau?'

'Wrth gwrs 'nny. Naethon ni gopïau caled o'r cyfan.'

'Felly, mae'n edrych fel tasai'r Is-Ganghellor yn defnyddio ei ddylanwad ar ei gyfeillion yn y Llywodraeth a thu hwnt ar ran y cwmni. Ac yn elwa'n bersonol o wneud hynny?'

'Dyna beth y'n ni'n ddeall. Mae'n swno'n ddifrifol iawn.'

'Ydy, ar yr wyneb, oni bai bod 'na ryw esboniad arall, diniwed. Beth y'ch chi'n mynd i'w wneud â'r wybodaeth hon? A beth y'ch am imi wneud?'

'So, cawson ni drafodaeth am beth i neud. Yn y pen draw fe benderfynon ni roi gwbod i'r Is-Ganghellor inni ddarganfod ffeithiau fyddai'n niweidiol iawn iddo fe 'sen nhw'n cael eu datgelu...'

'Rhyw fath o flacmel felly?'

'Yn gwmws. Y pris am beidio â datgelu'r gwir oedd y byddai'r Is-Ganghellor yn rhoi'r gorau i'r bygythiadau cyfreithiol yn erbyn Llywydd yr Undeb, ac yn anghofio am gosbi arweinwyr y brotest ymhellach. Chi'n credu bod hynny'n anfoesol?'

'Branwen, dwi ddim yn athronydd moeseg, peidiwch â disgwyl ateb. Ond ydych chi wedi meddwl am fynd at lywodraethwyr y Brifysgol, neu'r heddlu?'

'Fe drafodon ni 'nny, ond dywedodd Damian fod yr aelodau o Fwrdd y Brifysgol i gyd ym mhoced yr Is-Ganghellor. A dyw'r heddlu ddim yn debyg o roi croeso cynnes inni ar ôl beth ddigwyddodd yn y *sit-in*.'

'Wel, alla i ddim cynnig fawr o gyngor ichi. Mae'n sefyllfa beryglus, yn amlwg. Mae'r Is-Ganghellor yn llwyddo i gael ei ffordd bron bob tro. Ychydig iawn o bobl sy'n gallu sefyll yn ei erbyn ac ennill. Ond pob lwc ichi. Bydda i'n dilyn yr achos yn ofalus.'

Syllodd Branwen ar y carped carpiog am rai eiliadau, cyn codi a symud tuag at y drws.

'Diolch, Llŷr. Chi wedi bod o help. O bosib.'

Ar ôl iddi hi fynd safodd Llŷr yng nghanol ei ystafell, gan feddwl yn hiraethus am ddyddiau cyffrous protestio a gwrthryfela gobeithiol yn ôl yn y saithdegau.

*

Doedd yr awyrgylch yn ystafell gyfarfod Ysgol y Gyfraith ddim yn ysgafn. Eisteddai'r staff mewn rhesi heb dorri gair bron, yn aros am ymweliad yr Is-Ganghellor, fel carcharorion yn aros am ddedfryd. Bu ambell air am anerchiad yr Athro Jones i'r staff, yn arbennig y rhan honno am ei gyflog.

'Sdim cywilydd arno fe, oes e? Bloeddio am ei gyflog – er ei fod yn gwybod bod dim gobaith gan y gweddill ohonon ni dderbyn unrhyw godiad yn ein *salaries* ni – fel sy'n wir bob blwyddyn. Heb sôn am y darlithwyr ifanc ar gontractau byr a "dim oriau" – cyflog pitw a dim diogelwch.'

'Byddech chi wedi meddwl y byddai rhywun – un o bobl y Plas – wedi awgrymu ei fod yn hepgor sôn am ei gyflog ei hun.'

Yn sydyn agorodd y drws mawr a chamodd tri ffigwr trawiadol i mewn. Y tri yn eu gwisgoedd academaidd du, sylwodd Llŷr, fel bathodyn o'u hawdurdod ond hefyd yn arwydd amlwg eu bod yn farnwyr megis mewn llys. Yr Is-Ganghellor yn gyntaf, wedyn dau o'i ddirprwyon, yr Athro Roger Grimshaw a'r Athro Patricia Clampitt. Tu ôl iddynt, yn cario casgliad trwchus o bapurau, Adelina Evans, Prif Swyddog Gweithredu'r Brifysgol. Diflannodd hi i'r cysgodion yng nghefn yr ystafell ar unwaith, i gymryd nodiadau manwl o'r drafodaeth i ddilyn.

O'i sedd yn y rhes flaen gwelodd Llŷr fod yr Is-Ganghellor yn ei wisg swyddogol, arferol o dan ei glogyn: siwt frown, dywyll gyda thei sobor a gwasgod. O'r wasgod hongiai cadwyn wats – hoffai Diocletian roi'r argraff ei fod yn perthyn i hen oes fonheddig, er ei fod yn frwd dros y byd technolegol newydd a dulliau cyfoes o reolaeth. Pelydrai gwallt du, trwchus o dop ei ben, gan roi ei gyd-weithwyr penfoel neu'r rheini oedd yn brin o wallt o dan anfantais. Pefriodd ei lygaid bach, glas o gwmpas yr ystafell am eiliad, wedyn syllodd i lawr ar y bwrdd nes bod pawb yn barod.

'Reit!' meddai'n gwta, 'sdim angen cyflwyniad. Ry'ch chi i gyd yn gwybod pam ein bod ni yma. Gadewch inni fynd ymlaen yn syth.'

Gyda hynny troiodd at yr Athro Grimshaw a saethu golwg diamynedd ato. Yn amlwg ro'n nhw wedi cynllunio hyn yn fanwl, meddyliodd Llŷr. O bosib bydden nhw'n defnyddio hen drefn y nofel dditectif, 'glas drwg, glas da'.

Dechreuodd Grimshaw, 'Lisa, chi yw'r pennaeth. Rhowch dri rheswm inni pam na ddylen ni gau'r Ysgol.'

Byddai hynny wedi taflu rhywun llai hyderus oddi ar ei echel, ond roedd Lisa wedi rhagweld y cwestiwn. Cychwynnodd ar amddiffyniad huawdl, hir – sut cafodd yr Ysgol ei chreu o adrannau gwahanol, y cydweithio rhwng darlithwyr o wahanol gefndiroedd, adwaith positif y myfyrwyr, yr enw da roedd yr Ysgol yn dechrau ei ennill y tu allan i'r Brifysgol. Y tu ôl iddi fflachiodd lluniau, ystadegau a phwyntiau bwled ar draws y sgrin. Codai a phlymiai llais ystwyth Lisa i gyd-fynd â'i dadl. Tynnodd ei dwylo a'i breichiau linellau gosgeiddig yn yr awyr o'i chwmpas. O bryd i'w gilydd byddai'n saethu edrychiad tua'r bwrdd a'r tri ymwelydd y tu ôl iddo, ac yn hanner gwenu.

Ond roedd enaid Grimshaw mor galed ac oer â charreg ar draeth Aberacheron. Cyn diwedd anerchiad Lisa, sylwodd Llŷr, roedd e'n dechrau byseddu ymyl ei ŵn, yn troi'r fodrwy fawr ar ei fys, ac yn bwrw golwg yn fynych o amgylch yr ystafell. Yn sydyn torrodd ar draws ffrwd geiriau Lisa, mewn llais garw, fel brân cyn disgyn i hawlio corff ei ysglyfaeth.

'Ydy hi'n wir fod perfformiad yr Ysgol yn waeth nag unrhyw Ysgol arall yn nhabl ymchwil y Brifysgol?'

Eto doedd y cwestiwn hwn ddim yn syndod i Lisa. Roedd hi wedi cymryd peth amser, meddai hi, ers sefydlu Ysgol y Gyfraith, i ddatblygu maes ymchwil. Ac roedd y sefyllfa wedi gwella'n aruthrol yn ystod y flwyddyn ddiwethaf: sawl llyfr mawr, awdurdodol ar y gweill gan aelodau staff – a phe bai'r gymhariaeth yn cael ei gwneud eto byddai'r Ysgol yn esgyn yn gyfforddus i fyny'r tabl.

Rifflodd Grimshaw trwy ei nodiadau am gwestiynau mwy treiddgar. Ond llwyddodd Lisa i ateb pob un o'i heriau yn foddhaol. Wedyn troiodd yr Is-Ganghellor at ei ddirprwy arall. Cymeriad tawel, diymhongar oedd Patricia Clampitt, ond roedd ganddi enw haeddiannol am fod yn beryglus gan y rhai oedd yn ddigon anffodus i sefyll yn ei ffordd. Dechreuodd mewn llais mor isel fel bod rhaid i bawb bwyso ymlaen er mwyn dal ei geiriau.

'Lisa, diolch yn fawr am esbonio gwaith yr Ysgol mewn ffordd mor glir. Mae'n amlwg eich bod chi'n arwain yn effeithiol. Mae'r Brifysgol yn ddyledus ichi. Ond hoffwn i godi pwynt bach, os ga i? Yn ôl yr wybodaeth yma mae'n ymddangos bod 'na broblem fach gydag un o'r Adrannau. Cyfeirio ydw i at yr Adran Griminoleg.'

Aeth ias o ofn i lawr asgwrn cefn Llŷr. Teimlodd gorff Gene Drinkwater yn ymgaledu, yn y sedd nesaf iddo – syllodd ei lygaid yn syth ymlaen.

'Cywirwch fi os mynnwch chi, Lisa, ond mae nifer myfyrwyr yr Adran wedi disgyn ers dwy flynedd yn olynol. Ar ben hynny, dwi ddim yn gweld y bu mwy na chwpwl o gyhoeddiadau ymchwil gan aelodau'r Adran yn ystod y deunaw mis diwethaf.'

Tawelwch am eiliad. Yna bu ffrwydrad mawr. Safodd Eugene ar ei draed i ollwng ei dafod ar Patricia yn ei ffordd ddiarhebol ac angerddol.

'Sut allwch chi feiddio ymosod ar ein Hadran ni – chi, o bawb, aelod o Ysgol sydd heb yr un ymchwilydd gwerth ei halen? Mae'n wir i ddweud y bu gostyngiad dros dro yn nifer y myfyrwyr israddedig. Ond o leiaf maen nhw'n fyfyrwyr sy'n gallu meddwl drostyn nhw'u hunain. Yn wahanol i'ch myfyrwyr chi, sy'n gwneud dim byd ond chwydu darlithiau. Ac o ran ein record ymchwil, fe ddylech chi wybod – mae'n siŵr bod nodyn yn y pecyn o'ch blaen – mod i newydd gyhoeddi astudiaeth arloesol ar osgoi trethi. Ac mae fy nghyd-weithiwr rhagorol, Dr Llŷr Meredydd, yn caboli ei gyfrol hirddisgwyledig ar drosedd gyfrifiadurol. Dwi'n synnu'n fawr nad ydych chi wedi paratoi'n well ar gyfer y seminar yma.'

Edrychodd yr Athro Clampitt yn daer ar Eugene, fel petai hi'n cynllunio'r ffordd fwyaf arteithiol bosibl o dalu'r pwyth yn ôl iddo. O gil ei lygad gwelodd Llŷr Adelina Evans yn sgriblan yn ffyrnig yn y llyfr nodiadau, er mwyn peidio â cholli dim o'r dystiolaeth.

Cododd Yr Athro Clampitt ei phen ac edrych o gwmpas yr ystafell.

'Mae rhywun yn deall eich teimladau cryf,' meddai mewn llais mor oer ag iâ, 'ond does dim gwadu'r ffaith bod criminoleg yn methu â chyrraedd y nod ar hyn o bryd. Alla i symud y sgwrs at ffaith arall, am fyfyrwyr yr Adran? Mae'n wir fod y myfyrwyr sy 'da chi'n gwerthfawrogi eich dulliau dysgu. Ond y gwir plaen yw nad oes digon ohonyn nhw. Ble mae'r gwerth am arian? Mae'n ymddangos imi nad yw'r Adran yn diwallu digon o arian i gyfiawnhau'r costau – hynny yw, eich cyflogau.'

Dechreuodd y gwythiennau guro yng ngwddf Eugene Drinkwater. Ond cyn iddo gael cyfle i ffrwydro, safodd Lisa i amddiffyn yr Adran eto.

Trwy'r cyfarfod ni fu newid yn ymddygiad Adelina Evans – a fu'n llenwi ei llyfr nodiadau â thraed brain – nac yn ystum yr Is-Ganghellor, oedd yn gwbl ddistaw, gan chwarae bob hyn a hyn â chadwyn ei wats. Ond erbyn hyn roedd wedi penderfynu mai digon oedd digon.

'Diolch ichi i gyd. Rydyn ni wedi casglu llawer o dystiolaeth – digon i ddod i gasgliad pendant am ddyfodol Ysgol y Gyfraith. Fydda i ddim yn dweud rhagor heddiw. Ond pe bawn i'n chi yn yr Adran Griminoleg, byddwn i'n dechrau chwilio am swydd mewn prifysgol arall.'

Gyda hynny ysgubodd y tri ohonynt o'r ystafell. Casglodd Adelina ei phapurau ynghyd a'i heglu hi ar eu hôl, gan gadw ei llygaid ar y llawr o'i blaen.

Doedd dim awydd gan neb i drafod beth ddigwyddodd, ac aeth y staff o'r ystafell yn unigol neu mewn grwpiau bach. Sylwodd Llŷr fod golwg benderfynol ar wyneb Gene Drinkwater wrth iddo frasgamu allan heb dorri gair â neb. Cerddodd Llŷr i lawr y córidor yn araf. Amser i fynd adref, arllwys wisgi (brag, dau shot, dim dŵr) a meddwl am y dyfodol.

6

Darn o *Y teithiwr anturus yng Nghymru*, gol. Micah Parsnip, Aberlethe: Gwasg Annwn, 2014, t.12–13.

[Aberacheron]

Dinas fach a leolir ar lannau afon Acheron ac ar hyd Bae Acheron.

Yn ôl Gerallt Gymro, yn ei naratif o daith o gwmpas Cymru yn y flwyddyn 1188 yng nghwmni Baldwin, Archesgob Caergaint, dywedodd Baldwin, wrth iddyn nhw adael Aberacheron a symud tua'r gogledd, 'Byth eto, plis, Gerallt'. Efallai y bydd nifer o deithwyr heddiw yn atseinio'r geiriau hyn ar ôl aros yn y ddinas dros nos. Ond mewn gwirionedd mae gan Aberacheron dipyn i'w gynnig i deithwyr craff – os ydyn nhw'n amyneddgar.

Daeth y Rhufeiniaid yma tua 80 AD a sefydlu caer. Yn Amgueddfa Aberacheron gallwch chi weld mosäig o'r fila Rufeinig yn y Pentre Mawr, gyda llun o ddau gariad direidus sy'n gwneud i ymwelwyr ifanc farw chwerthin. Cododd y Normaniaid y castell moel, tywyll yng nghanol y ddinas. Yma byddai Ranulf y Cythraul yn teyrnasu ar Gymry'r ardal. Oes aur Aberacheron oedd y bedwaredd ganrif ar bymtheg, pan fyddai miliynau o dunellau o lo yn mynd allan o'r porthladd. Yn y 1980au, ar ôl cyfnod hir o ddirywio, daeth ardal yr harbwr dan reolaeth Corfforaeth Ddatblygu Bae Aberacheron. Cliriwyd yr hen adfeilion, a chodwyd swyddfeydd, siopau a gwestai, mewn adeiladau rhad, di-nod sydd erbyn heddiw yn dechrau erydu a simsanu.

Os ydych chi'n digwydd cyrraedd Aberacheron ar y trên, gwell ichi frysio ar hyd Stryd y Lladd-dy tuag at ganol y ddinas, gan anwybyddu'r siopau gwag a'r tafarnau caeedig. Ar y dde gwelwch y 'chwarter creadigol', gydag:

- o Amgueddfa Aberacheron, sy'n cynnwys rhyfeddodau fel pen 'Mamoth Aberacheron', wats Dic Penderyn a'r car modur cyntaf yng Nghymru mewn lliw nad oedd yn ddu.
- o Oriel Gelf Aberacheron sy'n enwog am ei chasgliad o luniau olew gan Syr Watkyn Watkyns.
- o Theatr Asffodel, lle ymddangosodd yr actores enwog y Fonesig Seraffina Sidoli ar y llwyfan am y tro cyntaf yn 1891.
- o Y Coleg Celf (efallai y gwelwch chi rai o'r myfyrwyr yn arbed arian trwy eistedd yng nghaffis yr ardal trwy'r dydd).

Nesaf, ymlaen â ni i'r canol. Yma bydd y rhai sy'n hoff o bensaernïaeth friwtalaidd yn gallu mwynhau gwledd o goncrit: mae Ffordd y Tywysog a'r Heol Dechnoleg yn lleoliad clasurol o'r steil arbennig hwn o'r 1960au a'r 1970au. O'r ardal hon mae ffordd lydan, y Rhodfa Orymdeithiol, yn arwain at y traeth. Nawr fe welwch chi'r Bae yn ei ysblander, yn ymestyn mewn cromlin raddol, chwe milltir tuag at y Pentre Mawr. Dyma'r lle bydd trigolion Aberacheron yn ymlacio ar ôl diwrnod caled o waith yn yr ysbyty, y carchar neu'r ganolfan alwadau. Gallwch chi eu dilyn trwy gerdded ar hyd y prom, o gaffi i gaffi, neu ddal y tram hynafol sy'n llusgo ar hyd yr heol i'r un cyfeiriad.

Hanner ffordd ar y daith hon byddwch chi'n pasio campws Prifysgol Aberacheron a'i hadeiladau trawiadol (casgliad arall o goncrit noeth). Yn ddiweddar, dan arweiniad egnïol yr Is-Ganghellor Diocletian Jones, mae'r Brifysgol wedi dechrau ennill enw iddi ei hun am fod yn arloesol ac yn llwyddiannus o ran ei hymchwil.

Bydd taith arall yn mynd â chi o ganol y ddinas tua'r dwyrain, heibio i'r marina a'r dociau, dros Bont Avernus (Gwobr Y Gymdeithas Goncrit 1981), tuag at un o adeiladau mwyaf nodedig Aberacheron, Stadiwm Erebus. Unwaith roedd Aberacheron yn enwog am nifer a safon ei chapeli. Ond crefydd newydd y dinasyddion yw pêl-droed. Mae'r stadiwm drawiadol (2004, Syr Percy Pancreas) yn gartref i Ddinas Aberacheron, tîm sy'n denu torf deyrngar bob yn ail ddydd Sadwrn yn ystod y tymor. Os byddwch chi'n ddigon lwcus i fod yn Aberacheron ar ddiwrnod gêm, meddyliwch am fynd: mae eistedd ar y terasau yn ffordd ddelfrydol o ymdreiddio yn ysbryd (ac iaith liwgar) pobl y ddinas. (Ond gwell peidio â mynd os bydd tîm Aberlethe yn ymweld: gall pethau fod yn fywiog iawn ar adegau.)

Os hoffech chi ymweld ag adeiladau hŷn y ddinas, anelwch am rai o faestrefi Aberacheron, fel yr Alltwen, lle mae esiamplau, yn ardal Sebastopol Road a Balaclava Drive, o dai mawreddog, addurnol a godwyd gan feistri diwydiant y dref yn ystod oes Fictoria...

7

Roedd gan Llŷr lawer o amser i feddwl. Doedd dim dyletswyddau dysgu ganddo am yr wythnos nesaf ac roedd e wedi bwcio gwyliau – tridiau gyda'i fam oedrannus a gweddill y dyddiau ar ei ben ei hun yn y fflat (roedd y glaw yn disgyn o hyd). Prynhawn Gwener canodd y ffôn, gan roi sioc iddo – doedd e ddim wedi gweld na siarad ag enaid ers gadael ei fam. Doedd e ddim wedi gweld y newyddion nac agor ei gyfrifiadur. Mewn gwirionedd roedd e wedi cau'r byd allan, a gwneud dim byd ond gwylio hen ffilmiau du a gwyn, a gwrando ar Thelonious Monk a Miles Davis.

Menna oedd ar ben arall y lein. Sylwodd Llŷr ar unwaith ei bod yn gythryblus.

'Llŷr, ti ar gael nawr? Rhaid imi gael gair 'da ti ar unwaith. Mae rhywbeth mawr wedi digwydd.'

'Wrth gwrs, Menna. Dere draw. Yr unig gwmni sy 'da fi yw Charlie Parker. Cwmni arbennig, ond mae e 'di marw ers trigain mlynedd. Braf clywed gan rywun sy'n fyw.'

Cyrhaeddodd Menna o fewn pum munud. Rhaid ei bod wedi torri'r cyfyngiad cyflymder sawl gwaith ar ei ffordd. Roedd ôl straen ar ei hwyneb, a phâr o hen sgidiau am ei thraed, yn wahanol iawn i'w harfer.

'Menna! Beth yn y byd? Ti'n edrych yn ofnadw!'

'O't ti ddim arfer dweud pethe fel'na wrtha i...'

'Beth o'n i'n meddwl oedd...'

'Paid. 'Na'i gyd dwi moyn nawr yw gwydriad mawr o dy Bunnahabhain di.'

'Flin 'da fi, does dim ar ôl. Galla i gynnig *malt* Islay arall – Lagavulin, dyweda. Neu Highland Park, 15 mlwydd oed?' Highland Park oedd hoff frag mam Llŷr – rhywbeth at achlysuron arbennig. Tebyg i nawr, efallai.

A gwydryn mawr wrth ei llaw, roedd Menna'n barod i esbonio.

'Mae'n amlwg dy fod ti ddim wedi clywed.'

'Clywed beth? Dwi'n byw fel meudwy ar hyn o bryd.'

'Mae damwain echrydus wedi digwydd. Neithiwr. Ac ar fy mhatshyn i 'fyd – yn y Brif Lyfrgell! A'r peth gwaetha, Llŷr, yw taw fi sy'n rhannol gyfrifol. Neu o leia dyna sut bydd rhai pobl yn ei gweld hi.'

Safodd Llŷr yn stond. Teimlodd fel taflu ei freichiau o gwmpas corff Menna, ond peidiodd.

'Wyt ti'n cofio imi sôn am yr hen silffoedd symudol – y rhai trydanol sy'n rhedeg ar rêls? O'n i'n gwbod bod nhw'n beryglus – roedd sawl peth wedi digwydd. Triais i berswadio'r awdurdodau i wario arian ar silffoedd newydd. Ond methais i bob tro. Dim arian, medden nhw, ddim yn bwysig. Dylwn i – hawdd iawn dweud hyn nawr, wrth gwrs – dylwn i fod wedi gwahardd pobl rhag defnyddio'r silffoedd. Dylwn i fod wedi gosod notis i rybuddio pawb am y peryglon.'

Plygodd Llŷr tuag ati.

'Felly cafodd un o'r myfyrwyr grafiad bach? Aeth e i A&E? Cyn fory bydd pawb wedi anghofio. A bydd cyfle euraidd iti ddadlau o'r newydd dros gael silffoedd modern.'

'O, so pethau mor syml â 'nny! Dy'n ni ddim yn sôn am anaf bach, Llŷr. Ni'n sôn am farwolaeth. Fe fyddai marwolaeth myfyriwr yn ddigon difrifol. Ond nid myfyriwr mohono. Neb llai na Diocletian Jones, ein Is-Ganghellor.'

'Yr Is-Ganghellor! O na! Ofnadw! Ond, Menna, mae hynny'n

amhosib. Mae Diocletian cyn gryfed ag ych – amhosib i'w ddinistrio.'

'Does dim dwywaith am identiti'r corff, mae arna i ofn. Druan ag e: doedd neb yn haeddu'r fath ddiwedd. Digwyddodd e tua un ar ddeg o'r gloch neithiwr. Ychydig iawn o bobl oedd yn yr adeilad ar y pryd. Mae'n ymddangos nad oedd unrhyw dyst i'r ddamwain. Ces i alwad ffôn gan yr aelod staff nos oedd yn gyfrifol am yr adeilad. Myfyrwraig ymchwil oedd wedi dod o hyd i'r corff. Aeth hi i'r llawr gwaelod i chwilio am hen gylchgrawn a chael anhawster symud y silffoedd symudol. Cerddodd hi ar eu hyd nes darganfod corff dyn mawr mewn siwt frown yn sownd rhwng dwy silff ar ben y rhes. Roedd e wedi'i wasgu'n dynn iawn, fel ei fod yn edrych, yn ei geiriau hi, "fel hen eliffant yn ei gwsg". Gwaed ymhobman. Aeth hi'n syth lan i ddweud wrth yr aelod staff ar ddyletswydd.

'Erbyn imi gyrraedd y Llyfrgell roedd yr heddlu wedi selio'r llawr i gyd, ac roedd timau o arbenigwyr – pobl fforensig ac yn y blaen – yn heidio o gwmpas. Galwodd yr Arolygwraig fi am gyfweliad. Dywedais i'r cyfan am y nam trydanol – doedd dim rheswm i gelu'r gwir. Trwy'r bore dwi wedi bod yn helpu'r heddlu a'r awdurdodau.

'Cawson ni broblemau gyda'r silffoedd ddwy flynedd yn ôl. Weithiau bydden nhw'n gwrthod symud o gwbl. Ond fis yn ôl datblygodd nam arall. Yn ddirybudd – hynny yw, heb i neb wasgu'r botwm neu fyseddu'r panel rheoli – penderfynodd y silffoedd symud yn ddisymwth, gan glosio at ei gilydd yn glou iawn. A dyna pryd dylwn i fod wedi atal darllenwyr rhag defnyddio'r ardal honno. Ond wnes i ddim, am ryw reswm. Fel arfer, wrth gwrs, fyddai dim problem, a wnes i'm meddwl am y posibilrwydd y gallai rhywun gael ei ddal rhwng y silffoedd.

Nac y byddai'r silffoedd yn cau mor gyflym, gyda chymaint o rym.'

'Ond roedd yr Is-Ganghellor yn ddyn mawr, nerthol, cyhyrog. Galla i ddeall sut byddai'r metal wedi ei daro, ac achosi briwiau – ond ei wasgu i farwolaeth?'

'Dyna beth ddigwyddodd, yn ôl yr Arolygwraig. Oherwydd y broblem dechnegol doedd y sensor ddim yn gweithio – y sensor sy'n dweud wrth y peiriant am beidio â symud os oes rhywbeth mawr yn sownd rhwng y silffoedd. Fe wnaethon nhw barhau i wasgu a gwasgu, nes bod dim gwynt ar ôl yng nghorff yr Athro Jones. Marwolaeth boenus, hyll.'

'Ond beth oedd e'n ei wneud yn y Llyfrgell yn y lle cyntaf, yn hwyr y nos?'

'Doedd hynny ddim yn anarferol. Er gwaetha'r pwysau gwaith oedd arno, roedd e'n falch iawn o'r ffaith ei fod yn ymchwilydd gweithredol o hyd, yn cyhoeddi erthyglau mewn cylchgronau bob blwyddyn. Yr unig amser oedd 'da fe i ymchwilio oedd ar ddiwedd y dydd a dros y Sul. Roedd e yn y Llyfrgell yn eitha aml, a'i ben mewn hen lyfr. Y rheswm, medd rhai pobl, oedd ei fod yn awyddus i brofi bod dim esgus i ymchwilwyr fod yn ddiog a pheidio â chyhoeddi ymchwil.'

'Menna, mae hyn i gyd yn anodd ei gredu.'

'Ydy, dwi'n gwbod. Mae'r heddlu am imi wneud datganiad ysgrifenedig fory. Wedyn fe fydd ymchwiliad manwl o'r ddamwain, a chwest cyfreithiol, a, phwy a ŵyr, achos yn erbyn y rhai oedd yn gyfrifol...'

'Ond ddim yn dy erbyn di, does bosib? Awdurdodau'r Brifysgol ddylai gymryd y bai – yr Is-Ganghellor ei hun, siŵr o fod – am beidio â gwrando ar dy rybuddion di.'

'Dwi ddim yn gwbod, Llŷr. Dwi erioed wedi teimlo mor ddigalon a llawn gofid.'

‘Paid, Menna. Bydda i yma yn gefn iti, bob amser. Gelli di fod yn sicr o ’nny.’

‘Diolch, Llŷr. Alla i ofyn un peth ar unwaith? Dwi ddim yn meddwl ei bod hi’n ddiogel imi yrru adre – dwi wedi yfed gormod, ac mewn cyflwr truenus. Fyddai modd imi aros yma heno?’

Estynnodd Llŷr ei law am y botel wisgi. Doedd hyn ddim wedi digwydd ers blynyddoedd.

8

Swyddfa'r Is-Ganghellor

At holl staff Prifysgol Aberacheron

12 Hydref 2015

Annwyl gyfaill

Yr Athro Diocletian Jones

Mae'n ddrwg iawn gennyf gyhoeddi marwolaeth sydyn ein Is-Ganghellor annwyl, yr Athro Diocletian Jones CBE, mewn damwain ar y campws nos Iau, yr 8 o Hydref.

Roedd yr Athro Jones yn un o ddynion amlycaf ein hoes. Roedd ei ymroddiad i'n Prifysgol yn ddiarhebol. Ers dod yma bum mlynedd yn ôl gweithiodd yn ddiflino ac yn anhunanol er lles y sefydliad. Dim ond y gorau oedd yn ddigon iddo, ac roedd e'n enwog am fod yn ddiamynedd os nad oedd ei gyd-weithwyr yn cyrraedd y nod a osodwyd iddynt. Bydd ei enw yn para am byth ar y campws hwn, ac ymhell y tu hwnt. Mawr yw ein dyled iddo.

Wrth reswm cynhelir ymchwiliad manwl i amgylchiadau'r ddamwain gan yr heddlu a'r crwner.

Fe fydd achlysur cyhoeddus arbennig i goffáu a dathlu bywyd a gwaith yr Athro Jones maes o law, a gwyddom y bydd y rhan fwyaf ohonoch yn awyddus i gymryd rhan a dangos parch i'w gof.

Yn y cyfamser penderfynodd Cyngor y Brifysgol i benodi'r Athro Roger Grimshaw yn Is-Ganghellor dros dro. Dymunwn yn dda iddo yn ei waith pwysig.

Fe ddylai unrhyw gwestiynau am gyfrifoldebau newydd gael eu cyfeirio at y swyddfa hon.

Yn gywir iawn,
Adelina Evans
Prif Swyddog Gweithredu

9

Dros y dyddiau nesaf disgynnodd cwmwl swyddogol o ddiflastod a galar dros y campws. Pryd bynnag y gwelid y rheolwyr hŷn yn y Mall neu mewn cyfarfodydd, byddent yn gwneud yn siŵr eu bod yn gwisgo dillad tywyll a golwg ddifrifol, hirwynebog.

Ond mewn coridorau tywyll a thu ôl i ddrysau caeedig, roedd yr awyrgylch braidd yn wahanol. Unwaith i sioc newyddion y farwolaeth gilio, prin oedd y dagrau ar fochau staff cyffredin y Brifysgol. Roedd rhai o'r myfyrwyr, yn arbennig swyddogion yr Undeb, yn fwy agored yn eu diffyg tristwch.

I ddechrau roedd yr Is-Ganghellor dros dro yn gynnil ei negeseuon ac yn ofalus ei eiriau. I'r rhai nad oeddent yn gyfarwydd â'i arferion, roedd hyn yn arwydd o amserau gwell i ddod; dechreuent gredu bod teyrnasiad Diocletian Jones wedi dod i ben am byth a bod oes newydd ar fin gwawrio. Ond byrhoedlog oedd eu gobeithion. Fel yn yr hen Rufain, pan fu gorfoledd dilywodraeth am gyfnod ar y strydoedd wedi marwolaeth Ymerawdwr amhoblogaidd fel Tiberius, Nero neu Caligula, nes bod pawb yn sylweddoli bod gan ei olynydd yr un cymeriad creulon a didostur, a sawl gwendid ychwanegol, felly ar gampws y Brifysgol daeth hi'n amlwg yn raddol i'r rhan fwyaf o'r staff a'r myfyrwyr bod dim bwriad gan yr Athro Grimshaw i newid steil ei ragflaenydd. Daliai rhai i afael yn y gobaith y byddai'r Cyngor yn penodi rhywun gwahanol o'r tu allan i fod yn Is-Ganghellor parhaol. Ond yn y pen draw bu'n rhaid iddyn nhw hefyd gyfaddef bod dim byd yn ymddygiad Grimshaw i awgrymu y byddai'n ildio awenau grym yn hawdd.

O dipyn i beth eglurodd yr Is-Ganghellor newydd nad oedd e'n mynd i fod yn llai unbennaidd na Diocletian Jones. O bosib roedd e'n fwy cyfrwys a thactegol. Daeth i gytundeb gydag Undeb y Myfyrwyr am gost eu meddiant o swyddfeydd yr Is-Ganghellor, ac ni fu yna sibrydion pellach am daliadau dirgel i Diocletian Jones gan gwmni milwrol penodol. Ond dwysáu a wnaeth yr ymosodiad ar Ysgolion ac Adrannau 'gwan oedd yn tanberfformio', a pharhaodd y bygythiad i gau'r Adran Griminoleg, a sawl un arall. Llifai'r un rhethreg o'i swyddfa am fawredd ac uchelgais y Brifysgol, a chlywid am bwyslais newydd ar godi arian o bob ffynhonnell bosibl er mwyn fforddio cynlluniau newydd.

Un o gynlluniau newydd yr Is-Ganghellor oedd codi canolfan gynhadledd enfawr ar gyrion y campws, i ddenu cwmnïau rhyngwladol i Aberacheron er mwyn iddyn nhw allu buddsoddi yn y Brifysgol. Lluniodd y penseiri fodelau o'r prif adeilad, ar ffurf teml fawr Roegaidd. Roedd coedwig o bileri ar y tu allan, a rhagor o bileri yn y Neuadd y tu mewn, ac uwch eu pennau, ffrisiau cerflunedig a phedimentau mawreddog. Gwyn llachar oedd lliw'r cyfan, yn wahanol iawn i frics a choncrit hen adeiladau'r Brifysgol. Roedd ymchwil marchnad wedi dangos yn glir mai clasurol oedd hoff arddull cynadleddwyr o'r byd busnes.

Y sialens nesaf oedd dod o hyd i'r arian i wireddu'r cynlluniau cyffrous hyn. Porodd Cassandra Evans a staff y Swyddfa Ddatblygu trwy enwau holl *alumni* (a rhai *alumnae*) y Brifysgol. Daeth enw arbennig i'r wyneb: y Tywysog Ali bin Abdullah Talfa, mab hynaf Brenin Kharbwt, un o wledydd olew'r Gwlff. Bu'r gŵr bonheddig hwn yn fyfyriwr israddedig yn yr Adran Fusnes yn Aberacheron ugain mlynedd yn ôl. Enillodd drydedd radd yn ei ffeinals a chrafu B.Sc. (Econ.) – synnodd staff y Swyddfa fod y Brifysgol wedi gadael i hyn ddigwydd. Am ryw reswm teimlai'r Tywysog rywfaint o deyrngarwch tuag at ei hen brifysgol, a derbyniodd wahoddiad gan yr Athro Grimshaw i ddod 'nôl i'w *alma mater* a thraddodi darlith. Gan ei fod wedi dewis teitl hynod anniddorol, 'Cydweithio rhwng gwledydd y Gwlff yn yr economi ôl-olew', anfonwyd gwahoddiad i bob Ysgol yn y gobaith na fyddai'r gynulleidfa'n drychinebus o fach. Penderfynodd Llŷr a Menna fynd. Roedd y ddau'n gwybod o brofiad y gallai'r pethau mwyaf annisgwyl godi mewn achlysuron anaddawol fel hyn.

Cyflwynwyd y siaradwr gan yr Is-Ganghellor ei hun, mewn araith eiriog a seimllyd. Croesawyd y Tywysog yn dwymgalon. Anrhydedd o'r mwyaf oedd cael ei bresenoldeb – plygodd Grimshaw ei gorff tuag ato'n wasaidd – o ystyried cymaint o gyfrifoldeb oedd ar ei ysgwyddau. Aed ag e 'nôl i'w amser hapus yn y Brifysgol: amser pan groesawid myfyrwyr o dramor nid yn unig am eu harian ond yn ysbryd cyfeillgarwch cydwladol. Roedd pawb ar bigau'r drain i glywed ei eiriau. Gobeithio y byddai ei ymweliad yn ailatgyfnerthu'r dolennau cyswllt agos rhyngddo a'r Brifysgol.

Dechreuodd y Tywysog siarad, yn araf ac yn undonog. Nid siarad cyhoeddus oedd ei gryfder, yn amlwg. Ar ôl hanner awr bu'n rhaid i'r Is-Ganghellor ddechrau llygadu'r gynulleidfa'n wyllt, wrth i rai edrych yn gysglyd. Tri chwarter awr arall, ac o'r diwedd daeth y ddarlith i ben. Diolchodd Grimshaw i'r Tywysog yn daer am 'anerchiad gafaelgar, pwysig'. Gofynnodd wedyn am gwestiynau o'r llawr.

Doedd yr Is-Ganghellor ddim wedi gadael hyn i ragluniaeth.

Yn y gynulleidfa eisteddai nifer o staff dethol, dibynadwy. Nhw ofynnodd y cwestiynau cyntaf:

'Llongyfarchiadau ar araith wirioneddol ragorol. Beth yw eich cynlluniau ar gyfer eich gwlad?'

'Beth yw eich hoff atgofion o'ch amser yma fel myfyriwr?'

'Beth yw eich gobeithion ar gyfer pobl eich gwlad?'

Atebodd y Tywysog bob un yn raslon ac yn estynedig. Wedyn, heb rybudd, cododd myfyriwr i'w draed yn y cefn, a dweud, mewn llais tawel iawn,

'Diolch yn fawr am eich darlith ddiddorol iawn, syr. Hoffwn i ofyn cwestiwn am eich gwlad plis. Dyn hoyw ydw i. Ydy hi'n wir na fyddai croeso cynnes i mi, nag i bobl fel fi, petaen ni'n ymweld â Theyrnas Islamaidd Kharbwt? Ydy hi'n wir hefyd, petawn i'n digwydd bod yn hoyw ac yn un o ddinasyddion eich gwlad, y byddwn i'n wynebu cosbau eithafol?'

Eisteddodd y myfyriwr 'nôl yn ei sedd. Syllodd yr Is-Ganghellor arno'n ffyrnig. Ar ôl saib bach atebodd y Tywysog na fyddai problem iddo fel ymwelydd, cyn belled ei fod yn cofio am gyd-destun cymdeithasol ei wlad. Rhaid i'r dyn ifanc sylweddoli bod deddf wahanol mewn grym yn Lwffa, prifddinas Kharbwt, a bod pawb yn ymwybodol o'r hyn fyddai'n dilyn troseddu yn erbyn y ffordd o fyw oedd yn annwyl gan bawb.

'Ac ydy hi'n wir eich bod chi'n taflu cerrig at fenywod sy'n euog o odineb, yn eich gwlad chi, nes eu bod yn farw?'

Yn amlwg nid dyna oedd y tro cyntaf i'r Tywysog Ali bin Abdullah Talfa glywed y cwestiwn hwn, ac roedd ganddo ateb parod:

'Gadewch imi esbonio. Yn eich gwlad chi, dy'ch chi'n ymfalchïo yn y ffaith eich bod yn byw mewn cymdeithas amlddiwylliannol, oddefgar. Hynny yw, dy'ch chi'n parchu traddodiadau ac arferion y bobloedd leiafrifol sy'n rhannu'ch gwlad, hyd yn oed os ydyn nhw'n wahanol i'ch rhai chi. Mae'n dilyn y dylech chi ddangos yr un parch a goddefgarwch i'r systemau cyfreithiol a chymdeithasol gwahanol sy'n bodoli mewn gwledydd tramor. Ydy hynny'n gwneud synnwyr ichi?'

Ond cyn bod y myfyriwr yn gallu ymateb torrodd yr Is-Ganghellor ar draws y sgwrs.

'Mae'n wir ddrwg 'da fi ddweud bod amser wedi mynd yn drech na ni, a bydd rhaid dirwyn y drafodaeth ddiddorol hon i ben. Gallwch chi barhau i drafod yn nes ymlaen, siŵr o fod.'

Ac aeth e ymlaen i ailddatgan ei ddiolch diffuant i'r siaradwr anrhydeddus, mewn geiriau oedd hyd yn oed yn fwy blodeuog nag o'r blaen.

Roedd Llŷr wedi sylwi ar ran olaf y drafodaeth yn ofalus iawn. Nawr edrychodd ar yr Is-Ganghellor wrth i bawb ddechrau gadael yr ystafell. Roedd ei wyneb mor ddu â glo. Gallai Llŷr ddyfalu'n hawdd beth oedd yn mynd trwy ei feddwl. Pwy ysgogodd y myfyriwr i ofyn ei gwestiwn maleisus? Rhywun o'r Undeb? Rhyw ddarlithydd ifanc trafferthus? Byddai'n rhaid ffeindio allan a dweud y drefn wrth yr unigolyn oedd yn gyfrifol.

'Wel,' meddai Llŷr wrth Menna ar y ffordd allan, 'digon o ddeunydd defnyddiol i lenwi sawl seminar yn yr Adran dan y pennawd "Cultural relativism and legal philosophy". Roedd hi'n werth dod, on'd oedd?'

Ychydig ddyddiau wedyn clywodd Llŷr yn answyddogol fod y Tywysog Ali bin Abdullah Talfa, mab hynaf Brenin Kharbwt, wedi ailfeddwl am ei berthynas â'r Brifysgol. Fyddai e ddim wedi'r cyfan yn ystyried gwneud cyfraniad o ddeg miliwn o bunnoedd tuag at y ganolfan gynhadledd newydd.

Fyddai'r ganolfan ddim yn dwyn ei enw chwaith, a byddai'n rhaid ailagor yr ocsiwn i'r biliynydd nesaf a allai addo'r pris uchaf.

Cynhaliwyd archwiliad i'r sesiwn cwestiynau trychinebus ar ôl y ddarlith, ond ni chafwyd hyd i unrhyw gynllwyn. Roedd hi'n ymddangos i'r myfyriwr blinderus weithredu ar ei liwt ei hun.

Daeth y newyddion am y Tywysog fel ergyd drom i'r Athro Grimshaw. O'r pwynt yma, cytunai pawb, dechreuodd y paranoia dyfu fel cancr yn ei enaid. Meddyliai fod gelynion yn llechu ym mhob cornel o'r Brifysgol. Aeth e'n ddrwgdybus o bawb, hyd yn oed y rheolwyr hŷn yn ei gylch mewnol. Un bore cyhoeddwyd yn sydyn fod yr Athro Patricia Clampitt wedi 'penderfynu rhoi'r gorau i fod yn Ddirprwy Is-Ganghellor, am ei bod yn awyddus i roi mwy o'i hamser i'w hymchwil pwysig'. Y si oedd bod y ddau, oedd yn ymddangos ar yr wyneb i fod yn gynghreiriaid agos, mewn gwirionedd yn elynion cenfigennus erioed.

Ond roedd yr Is-Ganghellor yn ddigon deallus i sylweddoli bod yn rhaid iddo gadw ffydd aelodau'r Cyngor ac arwain y Brifysgol mewn ffordd gadarn. Tynhau wnaeth ei afael ar lywodraeth y sefydliad, a dwysáu wnaeth yr ymdrechion i ddenu arian mawr oddi wrth gyfoethogion.

10

Y Post Cenedlaethol, 19 Hydref 2015

Yr Athro Diocletian Jones CBE

Gan Meic Pine-Coffin

Bu farw'r Athro Diocletian Jones, 63 mlwydd oed, ar 8 Hydref mewn damwain anghyffredin ym Mhrifysgol Aberacheron, ar ôl gyrfa ddisglair o wasanaeth i'r byd addysg uwch a'i wlad annwyl.

Ganwyd Jones yn Aberdâr, yr unig blentyn i Jeremiah Jones, gweinidog gyda'r Methodistiaid Calfinaidd, ac Elinor Humphreys, athrawes mewn ysgol gynradd. Pan aeth ei rieni i'r Swyddfa Gofrestru er mwyn cofnodi enw'r babi, ynganodd y tad y ddau enw a ddewiswyd yn ddigon clir, 'Dai Leyshon'. Ond ysgrifennodd y Cofrestrydd yr enw i lawr yn y llyfr fel 'Diocletian': roedd e newydd ddarllen am yr ymerawdwyr Rhufeinig yn *The Decline and Fall of the Roman Empire* gan Edward Gibbon. Erbyn iddynt gyrraedd adref roedd hi'n rhy hwyr i gywiro'r gwall, ac enw'r bachgen byth ers hynny oedd 'Diocletian', neu 'Deio' i'w gyfeillion.

Disgleiriodd Diocletian yn yr ysgol, gan ddangos dawn arbennig mewn crefft a thechnoleg. Aeth ymlaen i astudio peirianneg drydanol ym Mhrifysgol Llundain. Eto, disgleiriodd a chael swydd fel trydanydd ymgynghorol ar lwyfannau olew ym Môr y Gogledd. Roedd e wedi ennill digon o arian erbyn ei ben-blwydd yn 35 oed i allu ymddeol ac ymlacio. Ond yn ystod sawl ymweliad â Sbaen fe fagodd ddiddordeb mawr yn llenyddiaeth y wlad, a phenderfynodd gyflawni gradd PhD mewn barddoniaeth Sbaeneg o'r ugeinfed ganrif. Daeth yn ddarlithydd wedyn ym Mhrifysgol Abersticill. Yn y cyfnod hwn cyhoeddodd ei lyfr awdurdodol *Sbaen: rhyfel a'r llenorion* a ddaeth yn destun clasurol yn Sbaen ar ôl cael ei gyfieithu.

Yn ystod ei amser yn Abersticill profodd Jones ei werth fel trefnydd a gweinyddwr talentog. O fewn pum mlynedd penodwyd ef yn Ddirprwy Is-Ganghellor, yn gyfrifol am faterion myfyrwyr. Doedd neb yn synnu pan symudodd i fod yn Is-Ganghellor Prifysgol Aberacheron yn 2009. Yno, roedd yn ddyn â chenhadaeth efengylaidd. Ei fwriad oedd ysgubo hen drefn y Brifysgol o'r neilltu, trwy gau adrannau 'aflwyddiannus', cael gwared ar staff oedd yn 'tanberfformio' ac ail-fowldio'r sefydliad yn ôl egwyddorion y byd newydd. I Jones, busnes oedd prifysgol. Dylai gael ei rheoli fel cwmni cyhoeddus. Os nad oedd adran neu uned yn 'talu ffordd', meddai Jones, doedd dim rheswm dros ei bodolaeth. Yn fwy na hynny, roedd cyni a thorri lawr yn ddisgyblaeth ynddi'u hunain. Byddai penaethiaid adrannau'n gorfod gweithio'n galetach trwy'r amser, rhag ofn eu bod yn colli rhagor o adnoddau'r flwyddyn nesaf.

Roedd Jones yn edmygu Canghellor y Trysorlys ar y pryd yn fawr, un oedd wedi arloesi ym maes theori 'llymder', ac yn wir derbyniodd wahoddiad i gynnig argymhellion i'r Llywodraeth ar sut gallai prifysgolion gyflawni mwy am lai o arian (dyfarnwyd CBE iddo yn 2014).

Dan arweiniad Jones ffynnodd Prifysgol Aberacheron. Bu cynnydd mawr yn y nifer o fyfyrwyr, yn enwedig o dramor, a chafwyd ffrwd o arian i gefnogi ymchwil. Codwyd nifer o adeiladau newydd. Enillodd Aberacheron enw am fod yn ddeinamo ym myd addysg uwch yng Nghymru a thu hwnt. Ond, yn ôl rhai ar y campws, roedd pris uchel i'w dalu am y llwyddiant. Yn gynyddol gwelwyd Jones fel unben na fyddai'n goddef gwrthwynebiad gan neb i'w gynlluniau. Lleisiodd llawer o staff eu hanfodlonrwydd â'i fwriad i agor campws newydd yn Indonesia, ond aeth ymlaen â'r cynllun er gwaethaf pawb a phopeth. Cafwyd protestiadau rheolaidd yn ei erbyn gan rai myfyrwyr. O dipyn i beth dechreuodd Jones gredu mai ef yn unig oedd yn gywir, a'i fod yn Diocletian (yr ymerawdwr) ailanedig.

Fel y Diocletian cyntaf, roedd Jones yn edrych ymlaen at ildio'r goron ac ymddeol i'r fferm a brynwyd ganddo yn Ffrainc. Ond nid felly y bu. Roedd ei waith – gan gynnwys cyhoeddiadau pwysig ar y dramodydd Federico García Lorca – heb ei orffen erbyn iddo golli ei fywyd yn llyfrgell ei brifysgol.

Mae Jones yn gadael gweddw, Caroline, sy'n gweithio i gwmni cysylltiadau cyhoeddus, a dau o blant.

Yr Athro Diocletian Jones, peiriannydd, academydd ac is-ganghellor, 3 Mai 1946 – 8 Hydref 2015.

11

Ffoniodd Menna Maengwyn Llŷr i ofyn am gyfarfod dros baned. Aeth y ddau i'r caffi yn Annex James Griffiths, i lawr lôn fach yng nghefn y campws. Am ryw reswm nid oedd yr Is-Ganghellor blaenorol, na'i olynydd, wedi sylwi bod enw hen sosialydd wedi goroesi ar un o adeiladau'r Brifysgol. Roedd y lle'n dawel ac yn ddelfrydol ar gyfer sgwrs breifat.

Doedd Llŷr a Menna ddim wedi gweld ei gilydd ers marwolaeth yr Is-Ganghellor. Ond sawl gwaith y dydd byddai Llŷr yn meddwl am Menna, a hithau yn ei thro am Llŷr. Byddai'r ddau'n myfyrio am beth allai ddilyn y noson dreuliodd Menna yn fflat Llŷr.

'Dwi mor hapus dy weld di, Llŷr. Wedi bod yn becso amdanat. Dim newyddion eto am dy swydd, a'r Adran Griminoleg?'

'Dim. Clywais i fod Lisa wedi gofyn am fwy o amser cyn y penderfyniad am ein ffawd. O leia mae'r Is-Ganghellor newydd yn cymryd ei amser cyn gwneud ei benderfyniadau – byddai Diocletian wedi cau'r Adran ar unwaith. A beth am fusnes y silffoedd drygionus?'

'Wel, dyna pam o'n i'n moyn cael gair. Dwi newydd gael cip ar yr adroddiad swyddogol ar y ddamwain, trwy garedigrwydd ffrind ar y tu mewn – fydd e ddim yn cael ei gyhoeddi am wythnos eto.'

Yn rhyfedd, ychydig iawn o sôn oedd wedi bod am farwolaeth yr hen Is-Ganghellor dros yr wythnosau diwethaf. Ac yn wir roedd enw Diocletian Jones, oedd yn arfer bod ar enau pawb yn ystod ei fywyd, bron â mynd yn angof. Roedd y crwner, ar sail tystiolaeth yr heddlu'n bennaf, wedi barnu mai 'marwolaeth ddamweiniol' oedd yr unig esboniad posibl. Wedyn roedd y Brifysgol wedi pennu archwiliad arall, gyda help yr awdurdodau iechyd a diogelwch, er mwyn ymchwilio'r ffactorau oedd wedi cyfrannu i'r ddamwain. Am wythnosau nawr bu Menna'n gofidio'n arw am beth fyddai gan yr adroddiad i'w ddweud am ei phenderfyniadau hi am y silffoedd.

'Beth sydd ynddo felly?'

'Mae dwy bennod, ac atodiad technegol, ar fater y silffoedd. A diolch byth, does dim beirniadaeth ddifrifol ohona i. Mae'r adroddiad yn cydnabod mod i wedi gwneud 'y ngorau i rybuddio'r Brifysgol am y peryglon. Maen nhw'n llymach ar y Pennaeth Iechyd a Diogelwch. Ac mae un frawddeg sy'n hanner awgrymu bod yr hen Diocletian yn rhannu'r cyfrifoldeb ei hun, trwy anwybyddu'r ceisiadau am silffoedd newydd.'

'Rhyddhad mawr iti. Ac i mi. Dwi'n poeni amdanat ers amser. Felly, beth yw'r argymhellion? Pwy sy'n mynd i dalu'r pris?'

'Wel, dyna'r peth rhyfedda. Ar wahân i ambell awgrym am sut i wella diogelwch offer trydanol yn y dyfodol, does dim beirniadaeth o neb sy'n ddigon cryf i gyfiawnhau unrhyw gosb sylweddol. Yn fy marn i, beth bynnag. Bron nad oes neb yn dymuno gweld pobl yn diodde oherwydd marwolaeth rhywun oedd yn gas gan bawb yn y Brifysgol yn ei amser.'

'Rhyfedd, wir. Ond falle bod 'na rywbeth yn y busnes yma sy'n rhyfeddach byth.'

'Beth ti'n feddwl?'

'Wel, dylwn i esbonio o'r dechrau. Tan ddydd Mawrth diwetha do'n i ddim yn amau'r fersiwn swyddogol o'r digwyddiad. Ond ces i wahoddiad i fynd i Wledd Flynyddol Cymrodyr y Brifysgol. Wyt ti wedi bod yn bresennol erioed?'

'Naddo. Mae'n swnio'n brofiad poenus.'

'Ydy, mewn ffordd. Y bobl arferol sy 'na, ac wedyn criw o Gymrodyr – pobl hunanbwysig o'r byd busnes a selebs llai a dderbyniodd anrhydedd gan y Brifysgol yn y gobaith y bydden nhw'n cofio amdani yn eu hewyllysiau. Maen nhw'n neidio at y cyfle i gymryd eu hawl yn flynyddol i gael pryd o fwyd bras a digonedd o ddiod gan y Brifysgol. Yn ddigon rhesymol, achos bod safonau bwyd y Brifysgol yn uchel o hyd, a'r seler win yn nodedig. Yr unig anfantais yw gorfod gwrando ar anerchiadau di-rif gan y pwysigion ar y ford uchel. Eleni, tro Cadeirydd Cyngor y Brifysgol oedd e, R. Oswallt Jones. Gweinidog anghydffurfiol yw e, wrth gwrs, felly unwaith iddo dwymo doedd dim stop ar ei bregethu. Cymaint o bleser, meddai, oedd cael croesawu'r Cymrodyr newydd i'w plith. Canmolodd yr Is-Ganghellor newydd i'r cymylau. Yn ei dyb e, fe oedd yr Is-Ganghellor mwyaf blaenllaw a mwyaf blaengar, nid yn unig yng Nghymru ond ledled Prydain. Roedd wedi llwyddo i unioni'r sefydliad ac i uno'r staff ar ôl marwolaeth anffodus ei ragflaenydd, ac wedi ennill parch gan bawb am y ffordd gadarn yr oedd wedi cynnig arweiniad i'r Brifysgol. Trwy hyn i gyd eisteddai Grimshaw wrth ei ochr, ei lygaid yn syllu ar y ford o'i flaen, mewn ffug wylder, a chysgod o wên ar ei wyneb. Straeon tylwyth teg, wrth gwrs, ond ar ôl yr holl fwyd a gwin roedd pawb yn ddigon bodlon gwenu a gadael i'r geiriau lifo drostyn nhw.'

'Felly fydd Grimshaw ddim yn rhoi'r gorau i fod yn y gadair boeth am dipyn eto?'

'Debyg iawn. Ond yn y rhan nesa o'r noson ces i fflach o oleuni. I gyd-fynd â'r wledd roedd dau ganwr yn ein difyrru:

tenor a soprano. Ariâu o operâu clasurol, gan fwyaf. Ond roedd y gân olaf – braidd yn dywyll, i fy meddwl i, ar gyfer achlysur llawen – cân yn dod o *Peter Grimes* gan Benjamin Britten. Ti'n nabod y gwaith?'

'Paid â bod yn dwp, Llŷr. Dylet ti'n nabod i'n well. Opera sebon – dim problem. Opera heb sebon – dim gobaith.'

'Sori, anghofiais i. Wrth i'r tenor ganu, yn rhagorol, ro'n i'n mynd trwy stori'r opera yn fy meddwl. Stori dywyll, drasig yw hi, wedi'i lleoli mewn tref ar lan y môr – ddim yn annhebyg i'n annwyl Aberacheron. Ac mae'n dechrau gyda marwolaeth ar y môr – marwolaeth dyn ifanc sy'n brentis i Peter Grimes, pysgotwr anghymdeithasol a ffigwr canolog y stori. Cynhelir cwest. Mae'r crwner yn clywed tystiolaeth ac yn dod i'r casgliad i'r dyn ifanc farw'n ddamweiniol. Ond mae'n rhybuddio Grimes i beidio â chymryd prentis newydd. Hynny yw, mae ganddo rai amheuon am beth ddigwyddodd mewn gwirionedd. Mae trigolion y dre hefyd yn ddrwgdybus, ac yn trin Grimes fel dyn euog. Wedyn mae pethau'n mynd o ddrwg i waeth…

'Yn sydyn iawn, fflachiodd fy meddwl o Peter Grimes i Diocletian Jones. Marwolaeth arall. Cwest arall. "Damwain" arall.'

'Ti ddim yn awgrymu…'

'Dwi ddim yn siŵr, Menna. Ond pam bod pawb – yr heddlu, y crwner, yr ymchwiliad – o'r cychwyn cyntaf yn cymryd yn ganiataol taw damwain oedd hi? Oes unrhyw un wedi meddwl am eiliad fod 'na esboniad arall?'

'Llŷr, ara deg! Cofia dy fod ti'n griminolegydd. Un o'r risgs proffesiynol yw'r temtasiwn i ddarganfod troseddau ymhobman, y tu ôl i bob digwyddiad anarferol.'

'Pwynt teg – ond ddim y tro yma, o bosib. Mae'n gwbl wir

ei bod hi'n rhesymol ac yn naturiol i feddwl i'r Is-Ganghellor farw'n ddamweiniol. Roedd hi'n hysbys iawn bod peirianwaith y silffoedd symudol yn ddiffygiol ers amser – bod y silffoedd yn gallu symud ar eu pennau'u hunain, heb rybudd, a bod digon o nerth ynddyn nhw, o dan yr amgylchiadau iawn, i anafu rhywun. Ond beth sy ddim yn rhesymol yw bod neb wedi ystyried, hyd yn oed am funud, y posibilrwydd i rywun lofruddio'r Athro Diocletian Jones.'

'Llofruddio? Gair mawr!'

'Wel, meddylia am y cwestiwn hwn i ddechrau. Fyddai hi'n ymarferol i rywun lofruddio dyn yn y staciau'r noson honno? Dywedaist ti fod dim tyst i'r ddamwain – yn wir, doedd neb arall ar y llawr gwaelod.'

'Cywir.'

'A dim ond un aelod o staff y Llyfrgell oedd ar ddyletswydd am un ar ddeg y nos. A roedd rhaid iddo fe aros wrth fynedfa'r adeilad trwy'r amser, ar y llawr uwchben?'

'Rhannol gywir. Doedd hi ddim yn sefyllfa ddelfrydol, ond roedd y Brifysgol yn gwrthod rhoi digon o arian imi gyflogi rhagor o staff i wneud yr adeilad yn gwbl ddiogel. Ond doedd dim disgwyl i'r aelod staff eistedd wrth y fynedfa trwy'r amser.'

'Felly, gyda gofal, gallai ein llofrudd ddod i mewn i'r adeilad heb gael ei weld – yn dilyn ôl traed yr Is-Ganghellor, siŵr o fod – mynd i lawr y grisiau i'r islawr, gwneud ei waith heb berygl o gael ei weld, a gadael yr adeilad, eto heb i neb sylwi.'

'Wel, mewn theori. Ond faint o bobl sy'n mynd i gredu hynny?'

'Nawr, dyma ail gwestiwn iti. Fyddai hi wedi bod yn dechnegol bosib i wasgu rhywun i farwolaeth rhwng y silffoedd? Roedd dwy broblem gyda'r silffoedd, meddet ti –

ro'n nhw'n symud yn ddirybudd, ac roedd nam ar y sensor sy'n atal y silffoedd rhag gwasgu yn erbyn rhywun sy'n sefyll rhyngddyn nhw. Ond oedd yna ryw ffordd, rhywbeth ar y panel rheoli electronig, oedd yn galluogi rhywun i orweithio'r sensor a gorfodi'r silffoedd i gau, beth bynnag oedd yn gorwedd rhyngddyn nhw?'

'Oedd – os oeddech chi'n digwydd gwybod pa gyfuniad o fotymau i'w gwasgu.'

'Felly byddai hi wedi bod yn gymharol hawdd – a chyflym – i ddal dyn yn sownd rhwng dwy silff a'i gywasgu hyd farwolaeth. Cyhyd â bod gan y llofrudd yr wybodaeth am sut i anablu'r sensor.'

'Wel, mae'n bosib, Llŷr, am wn i. Ond mae'n anodd credu...'

'A dyma drydydd cwestiwn iti. Faint o bobl yn y Brifysgol dros y blynyddoedd diwetha sy wedi dweud rhywbeth fel, "'Sen i'n hoffi lladd y dyn 'na!", neu, "Dyw'r Is-Ganghellor ddim yn debygol o fyw'n hen os ydy e'n cario mlaen fel hyn", neu "Tybed allen ni drefnu rhyw ddamwain fach i Deio'r diawl?"'

'Ond do'n nhw ddim o ddifri, o'n nhw? Jyst rhyw ffordd o siarad, er mwyn bwrw eu dicter a'u rhwystredigaeth.'

'Paid â bod mor siŵr o hynny, Menna. Roedd digon o bobl ar y campws oedd yn teimlo'n gryf iawn am Diocletian Jones – hyd yn oed yn llofruddiol. Beth am y myfyrwyr – aelodau'r Undeb oedd wedi meddiannu ei swyddfa? Roedd yr Is-Ganghellor yn benderfynol o wneud esiampl o'u harweinwyr – o'u dinistrio. Wedyn, y staff a'r cyn-staff sy wedi cael cam difrifol ganddo fe dros y blynyddoedd – pobl fel Geraint Price o'r hen Adran Eidaleg. Y si oedd bod Geraint, ar ôl cael ei hel o'r Brifysgol gan Diocletian, yn eistedd gartre ar ei ben ei hun yn dyfeisio ffyrdd mwy fwy eithafol o dalu'r pwyth 'nôl. Hyd yn oed yn Ysgol y Gyfraith mae staff oedd yn ei gasáu cymaint bod 'da nhw'r potensial i wneud rhywbeth annoeth. Cymer Gene Drinkwater. Mae'n gymeriad tanbaid erioed, ond dros fisoedd ola Diocletian fe dyfodd ei elyniaeth yn atgasedd. Dywedodd rai pethau ymosodol iawn. Dyw Gene ddim yn ddieithr i drais a marwolaeth. Mae'n amlwg hefyd bod llawer un o fewn tîm rheoli'r Brifysgol sy'n bell o fod yn gyfeillion mynwesol iddo. Roedd nifer ohonyn nhw'n fileinig iawn. Felly, ti'n gweld, does dim diffyg ymgeiswyr ar gyfer y teitl "llofrudd Deio".'

'Ond, Llŷr, un peth yw dal dig yn erbyn eich bòs, peth arall yw ei ladd.'

'Nid bòs arferol mohono fe ond anghenfil. Ac roedd 'da fe'r ddawn i greu gelynion marwol. Dwi wedi meddwl am hyn ers sbel nawr, Menna, ac wedi penderfynu gwneud rhai ymholiadau, yn dawel, er mwyn ceisio profi fy theori. Byddai'n braf iawn imi wybod dy fod ti y tu ôl imi – neu o leia yn fodlon gwrando o bryd i'w gilydd.'

'Wel, mae'n *bosib* bod rhywbeth yn dy stori. Wrth gwrs, bydden i'n berffaith hapus – ac yn fodlon – gwneud tipyn bach o "ymchwil" drosot ti. Ond cofia mod i'n agnostig, a dweud y lleia, am dy theori.'

'Diolch, Menna. A phwy a ŵyr, falle bydd y busnes 'ma'n arwain at rywbeth mwy diddorol na llyfr ar droseddau ar y rhyngrwyd – llyfr fydd yn casglu llwch ar silffoedd y llyfrgell.'

'Falle, Llŷr. A sôn am gasglu llwch – beth amdanon ni'n dau? 'Sen i ddim yn lico meddwl bod ein cyfeillgarwch newydd ni ddim yn mynd i unlle. Ti'n digwydd bod yn rhydd heno?'

'Ydw, Menna! Dere draw i'r fflat eto. Gad imi dy gyflwyno

di i fy ffrind da John Coltrane – a blas bach o Ardbeg neu Edradour.'

Gyda hynny daeth y sgwrs i ben. Cerddodd Llŷr i lawr y Mall â sioncrwydd newydd, i gasglu ei feic a mynd adre ar hyn lan y môr. Ar y ffordd fe welodd Adelina Evans, yn y lôn ar ochr yr Adran Gemeg, a hynny yng nghwmni dyn nad oedd e'n ei nabod. Merch fwyn oedd Adelina, ym mhrofiad Llŷr: yn ddeallus ac yn gydwybodol yn ei gwasanaeth i reolwyr hŷn y Brifysgol. Ond heddiw roedd rhywbeth wedi'i chynhyrfu'n ddifrifol. Roedd ei hwyneb yn goch llachar, wrth i'r dyn sgrechian nerth ei ben. Atebodd hi, yn bwyllog, ond y canlyniad oedd gyrru'r dyn i dymer twymach byth. Am funud meddyliodd Llŷr am ymyrryd yn y ffrwgwd, ond penderfynodd beidio. Gadawodd y Mall mewn penbleth.

Yn sydyn, daeth wyneb y dyn crac yn ôl iddo. Ac enw'r dyn hefyd. Geraint Price o'r hen Adran Eidaleg. Y dyn gafodd ei yrru o'r Brifysgol gan Diocletian Jones yn greulon ac yn ddiseremoni. Diflannodd o wyneb y ddaear ar ôl y digwyddiad. Y si oedd ei fod yn magu atgasedd mawr tuag at yr Is-Ganghellor, ac yn cynllwyno trwy'r amser i dalu'r pwyth yn ôl iddo am y driniaeth annheg a ddioddefodd. Ond si'n unig oedd honno. Doedd neb wedi ei weld yn y Brifysgol ers hynny. Pam tybed oedd e 'nôl ar y campws – ar ôl marwolaeth Diocletian Jones? A pham colli ei dymer gydag Adelina Evans? Dyna bos rhyfedd. Dylai drosglwyddo'r wybodaeth hon, meddyliodd Llŷr, yn syth at Menna heno.

12

Ar ei ffordd i Undeb y Myfyrwyr sylweddolodd Llŷr mai dyma'r tro cyntaf iddo fynd i Ffair y Glas y myfyrwyr ers chwarter canrif (roedd yn hwyr iawn yn digwydd eleni oherwydd llifogydd ar dir y Brifysgol). Ceisiodd gofio am ei brofiad personol o fod yn fyfyriwr newydd sbon ym Mhrifysgol Caerfraint. Profiad rhyfedd i fachgen bach o gefndir dosbarth gweithiol yn y Cymoedd, oedd wedi dod yn syth o'r ysgol ramadeg leol i'r tyrau ifori ar lannau afon Hamdden. Doedd ganddo ddim clem beth i'w wneud, pa glybiau i ymuno â nhw, na sut i ddod yn ffrindiau gyda myfyrwyr eraill er mwyn lleddfu ei unigrwydd.

Roedd pethau'n wahanol iawn yma. Yn adeilad yr Undeb, ac yn y babell wen dros dro o'i flaen, crwydrai'r myfyrwyr newydd yn hyderus, mewn grwpiau swnllyd, meddwol, gan dynnu lluniau o'i gilydd ar eu ffonau symudol bob yn ail funud. Gwaeddai'r stondinwyr tuag atyn nhw, gan ddefnyddio ystod gyflawn o ddulliau masnachol: aelodaeth am ddim yn y tymor cyntaf, rhoddion fel co-bach, bathodyn neu boster, addewidion o bartïon di-rif. Un o'r bachau mwyaf oedd sut y gallai aelodaeth o gymdeithas gyfrannu at CV yn y dyfodol. Nid oedd angen gwersi mewn entrepreneuriaeth. Roedd ugeiniau o gymdeithasau a chlybiau i ymuno â nhw: gwleidyddol, crefyddol (a gwrth-grefyddol), academaidd, chwaraeon, elusennol, celfyddydol, hobïau. Ble i ddechrau? Byddai'r dewis di-ben-draw wedi drysu'r Llŷr ifanc. Ond i'r myfyrwyr newydd hyn doedd y ffair yn ddim byd mwy nag archfarchnad fawr. Chwiliai llawer ohonynt am fargeinion a gwerth eu harian.

Daeth myfyrwraig at Llŷr, merch â llond wyneb o addurniadau metelig, tatŵs ar y ddwy fraich a gwallt cwta iawn. Cynigiodd daflen iddo.

'Bore da. Liciet ti ymuno â'r Gymdeithas Agnostig?'

'Agnostig? Agnostig am beth? Crefydd, siŵr o fod,' meddai Llŷr.

'Agnostig am bopeth. Am grefydd, wrth gwrs, ond yn gyffredinol am bob peth dan haul. Hyd yn oed am yr haul. Achos sut allwn ni fod yn siŵr bydd yr haul yn codi bore fory?'

'Amhosib profi, dwi'n cyfadde. Ond ar sail rhesymegu anwythol – ar sail fy mhrofiad ar hyd fy oes galla i fod fwy neu lai'n siŵr...'

'Ond ddim yn *hollol* siŵr.'

'Iawn, ond byddai'n amhosib imi fyw o ddydd i ddydd heb gymryd rhai pethau'n ganiataol – er enghraifft, mod i'n mynd i arwain fy ail seminar gyda myfyrwyr y flwyddyn gynta ddydd Gwener nesa.'

'O, mae'n ddrwg 'da fi, o'n i'n meddwl taw myfyriwr aeddfed o't ti...'

'Peidiwch ag ymddiheuro. *Compliment* yw e, a dweud y gwir!'

'Ac enghraifft o ddod i gasgliad anghywir ar sail profiadau yn y gorffennol – o beidio â bod yn ddigon agnostig...'

Ond cyn bod cyfle i Llŷr ateb, daeth cyhoeddiad ar y system sain. Bu tawelwch. Dechreuodd llais Llywydd yr Undeb siarad.

'Gyfeillion! Bore da! Yn gynta, ga i'ch croesawu chi i Ffair y Glas ar ran pawb ohonon ni yn Undeb y Myfyrwyr. Fy enw i yw Jâms O'Donnell, a fi yw Llywydd yr Undeb eleni.

'Fi'n gwbod bod y rhan fwya ohonoch chi wedi dod i'r Brifysgol i ennill gradd ac wedyn cael swydd dda – a chael amser pleserus yn y cyfamser. Dim byd yn rong yn hynny. Ond gadewch i fi ddweud gair am yr Undeb. Chi'n fwy nag unigolion yma. Chi'n aelodau o gorff cyfan o fyfyrwyr – ac yn aelodau, yn awtomatig, o Undeb y Myfyrwyr. Cofiwch 'nny. Achos ei bod hi'n bwysig ein bod ni fyfyrwyr yn medru amddiffyn ein hunain, a sefyll lan dros yr achosion sy'n golygu cymaint inni.

'Wna i roi enghraifft ichi. Ychydig fisoedd yn ôl ffeindion ni allan bod awdurdodau'r Brifysgol yn derbyn arian mawr, yn gyfrinachol, gan gwmni BDF Systems er mwyn cynllunio *drones*. Yr amcan oedd i lywodraethau gwledydd tramor ddefnyddio'r *drones* er mwyn lladd eu pobl eu hunain. Protestion ni, yn gryf. Pan nad o'n nhw'n barod i wrando ar ein dadleuon, penderfynon ni feddiannu swyddfeydd yr Is-Ganghellor. Ei ymateb oedd dial ar y myfyrwyr a bygwth dwyn achos llys. Ond safodd y protestwyr eu tir yn ei erbyn, yn gadarn, a diolch i gefnogaeth yr Undeb naethon nhw ddim ildio'r un fodfedd. Yn y pen draw, ni'r myfyrwyr enillodd y dydd. Collodd yr Is-Ganghellor ei fywyd mewn damwain. Rhaid i'w olynydd, yr Athro Grimshaw, ddod i gytundeb 'da ni.

'Ond mae'r frwydr wreiddiol yn parhau. Mae gwaith ar y *drones* yn y Brifysgol yn mynd yn ei flaen, ac mae'r Undeb yn dal i ymgyrchu i roi stop arno. Os y'ch chi o blaid heddwch ac yn erbyn penderfyniadau cyfrinachol – wel, ymunwch â ni, dewch yn aelodau gweithredol o'r Undeb, sefwch mewn etholiadau, byddwch yn flaengar yn yr Undeb. Eich Undeb *chi* yw e.

'Cofiwch hefyd fod brwydrau eraill. Ffïoedd myfyrwyr, er enghraifft. Peidiwch â chymryd bod ffïoedd yn beth da neu'n ffaith anochel. Pam ar y ddaear ddylech chi adael y Brifysgol hon gyda dyledion gwerth degau o filoedd o bunnoedd? Mae'r gymdeithas gyfan yn mynd i elwa o'r ffaith y byddwch chi'n defnyddio eich sgiliau uwch yn eich swyddi. Mae dyletswydd ar gymdeithas i ysgwyddo baich addysgu ei dinasyddion. Ynghyd ag undebau prifysgolion eraill dy'n ni'n dal i weithio i ddileu'r system bresennol sy'n pentyrru dyled ar ddyled. Mae ein neges, gyda llaw, yn wahanol iawn i neges ein Llywodraeth, taw'r flaenoriaeth ucha i bawb yw cael gwared ar ddyled gyhoeddus y wlad. Felly, ymunwch! Gweithiwch! Brwydrwch! A chofiwch am eiriau doeth Karl Marx, y dyn gyda'r barf ffasiynol, "ni wnaeth yr athronwyr ddim byd ond dehongli'r byd, beth sydd yn rhaid ei wneud yw ei *newid*."'

Aeth y Llwydd yn ei flaen i siarad am fuddion eraill bod yn aelod o'r Undeb. Erbyn diwedd ei anerchiad roedd torf fach o fyfyrwyr wedi ymgasglu o flaen Jâms. Cylch bach o gyd-aelodau o Blaid y Gweithwyr (Dros Dro), gyda'u siacedi lledr du a *roll-ups* heb eu tanio yn hongian o'u gwefusau, yn gweiddi eu cefnogaeth i'r Llywydd bob yn ail frawddeg ac yn chwifio baneri coch a du. Swyddogion yr Undeb, yn barod i fanteisio ar unrhyw un oedd yn dangos diddordeb. Grŵp mwy o las fyfyrwyr chwilfrydig, rhai'n gwisgo crysau chwys newydd sbon ag enw'r Brifysgol arnynt, eraill yn dal bagiau ysgwydd cynfas yn llawn rhoddion rhad o'r stondinau. Sylwodd Llŷr ar fyfyriwr hŷn o'i Adran ar gyrion y grŵp hwn – neb llai na Stan Oldham. Pam fyddai Stan yn mynychu Ffair y Glas? Pam dewis gwrando ar eiriau gwleidydd yr Undeb oedd yn gas ganddo? Ai'r esboniad oedd bod Stan yn bwriadu adrodd 'nôl wrth awdurdodau'r Brifysgol er mwyn iddynt allu cadw golwg ar weithredoedd eu gwrthwynebwyr? Gwyddai Llŷr eu bod yn cadw llygad barcud ar grwpiau Islamaidd y campws. Ond fyddai hi ddim yn syndod petai unrhyw un anghonfensiynol dan amheuaeth ganddynt.

Daeth yr araith i ben a dechreuodd y dorf grwydro i ffwrdd. Gwthiodd Llŷr ei ffordd i'r platfform yn y blaen a nesáu at Jâms O'Donnell. Roedd Jâms yn arfer astudio criminoleg yn ei flwyddyn gyntaf, ond fe newidiodd i wleidyddiaeth yn dilyn tröedigaeth Farcsaidd.

'Jâms! Dyna oedd araith rymus! Llongyfarchiadau!'

'Dr Crippen! Heb eich gweld ers achau. Sut mae'r hwyl?'

'Iawn, diolch yn fawr. A sut mae byd yr Undeb?'

'Wel, digon o sialensiau, a dweud y gwir. Mae'r Is-Ganghellor newydd yn troi allan i fod cynddrwg, os nad yn waeth, na Diocletian Jones. Ond o leia mae hwnnw oddi ar y sin.'

'Oddi ar y sin! Dyna un ffordd o'i ddweud, er braidd yn ddideimlad. Ond wrth gwrs o'ch chi ddim yn un o'i gyfeillion mynwesol.'

'Cyfaill! Roedd y dyn yn gythraul. Ei unig nod yn y diwedd oedd dinistrio'r Undeb, a fi'n arbennig. Alla i ddim dweud, os dwi'n hollol onest, fod ei farwolaeth yn drasiedi, nac yn sioc.'

'Ddim yn sioc? Ond damwain sydyn oedd hi, ontefe?'

'Ie, medden nhw. Ond 'sen i ddim yn gwbod.'

'Pam?'

'Achos bo fi ddim yn Aberacheron ar y pryd. O'n ni i gyd yn Llundain, yng nghynhadledd genedlaethol yr Undeb. Fi, Damian, Branwen, pawb ar y Pwyllgor. Cyfarfod i drafod beth i wneud tasai'r Llywodraeth yn penderfynu codi ffïoedd eto. Ces i alwad ffôn gan Cassandra Evans o swyddfa'r Is-Ganghellor yn dweud bod yr Athro Jones wedi marw yn y Llyfrgell, o bob lle. Dywedais i ei bod hi'n ddrwg 'da fi glywed y newyddion. Rhagrithiol, fi'n gwbod. Mae yna adegau pan y gallwn i fod wedi saethu neu drywanu'r Is-Ganghellor fy hun, gyda phleser.'

'Jâms, dyn caled y'ch chi, wir. Gobeithio'ch bod chi ddim yn coleddu'r un teimladau am yr Is-Ganghellor newydd...'

'Wel, 'sen i'n rhoi arian ar ddiwedd anhapus i Grimshaw hefyd. Dyn sy'n ddigon clyfar i gadw'r myfyrwyr ar ei ochr, i ddechrau, ond ma pawb yn gwbod ei fod yn unben absoliwt, sy ddim yn godde unrhyw un yn y Brifysgol yn neud na dweud unrhyw beth yn ei erbyn. Ddaw dim byd da o hyn.'

Diolchodd Llŷr i'r Llywydd didrugaredd am y sgwrs a gadael y Ffair. Wrth gerdded i lawr y Mall 'nôl i'w swyddfa gwelodd Lisa Williams yn camu'n benderfynol tuag ato, â'i gwynt yn ei dwrn. Roedd hi'n gwisgo ffrog goch, lachar ac yn cario ymbarél coch tebyg.

'Llŷr! Yr union ddyn. Mor falch imi ddod ar dy draws.'

'Bore da, Lisa. Ti'n edrych fel taset ti'n mynd ar ras.'

'Ydw, wir. Fyddi di ar gael ddydd Gwener?'

'Bydda. Oni bai bod rhywbeth annisgwyl yn codi. Pam?'

'Newydd gael neges gan swyddfa'r Is-Ganghellor. Mae Gweinidog Addysg y Llywodraeth yn ymweld â'r campws. Dwi ddim yn gwybod pam. Mae'n dymuno cwrdd ag aelodau Cyngor y Brifysgol yn eu cyfarfod ar 16 Tachwedd. Ac am ryw reswm mae'n awyddus i drafod dyfodol Ysgol y Gyfraith. Dwi wedi derbyn gwahoddiad i fynychu'r cyfarfod, ond fydda i ddim yma bryd 'nny. Fyddet ti'n barod i gynrychioli'r Ysgol – a'r Adran Griminoleg, wrth gwrs?'

'Dim problem. Ond pam, wyt ti'n meddwl, y gofynnodd hi am Ysgol y Gyfraith?'

'Yr unig esboniad yw ei bod yn fyfyrwraig yn hen Ysgol y Gyfraith yn yr wythdegau. Gradd dosbarth cyntaf, os cofia i'n iawn. Un graff yw hi. Ddim yn un i laesu dwylo. Fe fydd yr Is-Ganghellor yn cnoi ei ewinedd, debyg iawn.'

'Ddim yn beth drwg, o bosib. Edrycha i mlaen.'

'Diolch o galon, Llŷr. Fe anfona i'r manylion atat yn y man. Rhaid imi ei bachu hi. Hwyl am y tro.'

Gyda hynny rhedodd Lisa i ffwrdd i lawr y Mall nerth ei thraed, yn union fel y Frenhines Goch. Ceisiodd Llŷr gofio pwy oedd Ceridwen Gorey, y Gweinidog dros Addysg. Doedd dim cof clir ganddo ohoni, ond bod ganddi enw am fod yn fenyw benderfynol. Dewr iawn oedd y dyn fyddai'n meiddio ei chroesi.

Gweinidog dros Addysg er 2013 oedd Ceridwen Gorey, Chwip y Blaid cyn hynny, a chyn cael ei hethol i'r Cynulliad, gohebydd teledu hollwybodus (neu o leiaf dyna oedd yr argraff roedd hi am ei gyfleu). Yn wahanol i ambell Weinidog, oedd yn ddigon bodlon cadw eu pennau i lawr ac ymhyfrydu yn y ceir swyddogol a'r weniaith gyhoeddus, roedd Ceridwen yn benderfynol o adael ei marc ar y byd addysg, doed a ddelo. Bob dau fis byddai'n traddodi darlith 'allweddol' neu 'arwyddocaol' er mwyn cyhoeddi rhyw fenter fawr, newydd. Ei nod cyson oedd ysgwyd athrawon a darlithwyr o'u diogi a'u haneffeithlonrwydd. Roedd gweision sifil ei Hadran yn ei hofni'n fawr – 'Mrs Gorey' oedd hi – a'r si oedd bod y Prif Weinidog ei hun yn petruso cyn anghytuno â hi ar unrhyw bwnc.

Roedd hi'n amlwg na fyddai ymweliad Ceridwen Gorey yn ddamweiniol. Yr unig gwestiwn oedd, pa neges o bwys roedd hi am ei chyfleu i'r Brifysgol?

13

Hollol gyfrinachol. Ni ddylid dosbarthu'r cofnodion hyn y tu hwnt i aelodau'r Cyngor.

Drafft yn unig

Cyngor Prifysgol Aberacheron

Cofnodion y cyfarfod a gynhaliwyd ar 16 Tachwedd 2015 am 2.30 y prynhawn yn Ystafell y Cyngor.

Yn y gadair: Y Parch. R. Oswallt Jones, Cadeirydd y Cyngor.

Yn bresennol: 14 o'r aelodau.

Eitem 5: Y Gweinidog dros Addysg

Croesawodd y Cadeirydd y Gweinidog i'r cyfarfod ac i'r Brifysgol, gan ddatgan cymaint o bleser oedd ei gweld yn rhoi o'i hamser prysur i fusnes y sefydliad. Cyfnod cyffrous oedd hwn i bawb, gyda'r campws newydd ar y ffordd yn Indonesia, ac Aberacheron yn rhagori ym mhob un o'r tablau cynghrair. Diolchodd yn gynnes i'r Gweinidog am y cymorth a roddodd i'r Brifysgol ers iddi ddod i'w swydd, a mynegodd y gobaith y byddai'r llywodraeth yn dal i gydnabod cyfraniad sylweddol y Brifysgol i fywyd economaidd a chymdeithasol y wlad.

Atebodd y Gweinidog, gan ddiolch i'r Cadeirydd am ei eiriau caredig. Cyfeiriodd at hanes godidog y Brifysgol, a'i rhan allweddol yn addysgu cenedlaethau o fyfyrwyr o Gymru. Heddiw roedd hi'n cynhyrchu pobl wybodus a sgilgar fyddai'n gwneud gwahaniaeth i economi'r wlad. Hefyd roedd menter y Cyngor a rheolwyr y sefydliad i'w canmol am fod yn barod i arbrofi ac arloesi, fel yn achos y campws newydd yn Asia, yr oedd hi wedi clywed cymaint amdano. Roeddent hefyd yn llwyddo i ailstrwythuro'r Brifysgol fel ei bod yn addas i wynebu heriau'r dyfodol.

Ond barn y Gweinidog oedd bod her newydd i'w wynebu. Nid oedd hi'n bosibl i unrhyw sefydliad sefyll yn ei unfan. Roedd hi'n amlwg o adolygiad cynhwysfawr gan y llywodraeth bod prifysgolion ledled y byd yn newid yn gyflym. Roeddent yn tyfu, yn arbennig trwy uno â sefydliadau eraill, er mwyn gallu bod yn fwy effeithiol yn y farchnad fyd-eang, ac yn fwy effeithlon yn eu costau gweinyddol. Y ffaith blaen oedd bod Prifysgol Aberacheron, yn y cyd-destun hwn, yn rhy fach i gystadlu'n llwyddiannus yn y farchnad addysgol fyd-eang. Doedd ganddi mo'r adnoddau ariannol na dynol i allu cynnig rhagor o gyrsiau, i ddenu contractau ymchwil mawr nac i adeiladu canolfan gynadleddau newydd.

Dylai'r Cyngor feddwl o ddifri, felly, am uno â phrifysgol arall. Byddai pa un yn gwestiwn i'r Cyngor, wrth gwrs, ond yn nhyb y Gweinidog yr unig ymgeisydd amlwg oedd Prifysgol Aberlethe. Aberlethe oedd y brifysgol fwyaf yn y wlad, yn perthyn i Grŵp Belgravia, hynny yw, *crême de la crême* y byd addysg uwch. O dan arweinyddiaeth egnïol yr Is-Ganghellor, yr Athro George Plumtree, roedd Aberlethe wedi ennill bri am fod yn ganolfan ymchwil fyd-enwog ac yn fagnet i ddarpar-fyfyrwyr mwyaf talentog y wlad. Petai'r ddwy brifysgol yn cytuno i uno, y canlyniad, yn ôl y Gweinidog, fyddai un o'r sefydliadau mwyaf cyfoethog a mwyaf nerthol yn Ewrop. Byddai Cymru gyfan yn elwa - o'r graddedigion ardderchog, o'r ymchwil ymarferol ac o'r sbardun i economi'r wlad. Dylai'r Cyngor agor negodiadau â Phrifysgol Aberlethe ar unwaith, a pheidio â cholli amser. Byddai'r llywodraeth yn gwneud pob peth posibl, meddai, i hwyluso'r negodiadau, gan gynnwys addo adnoddau ychwanegol i'r ddau sefydliad. Yr unig opsiwn arall oedd aros yn annibynnol. Ond byddai hynny'n golygu aros yn yr unfan, a, fesul dipyn, dirywio. Doedd hi ddim am weld Prifysgol Aberacheron, ei *alma mater* annwyl, yn mynd i'r gwellt.

Gwrandawodd yr aelodau yn gwrtais ar anerchiad y Gweinidog. Diolchodd y Parch. Jones i'r Gweinidog am ei hawgrym adeiladol ac addo y byddai'r Cyngor yn ystyried y mater yn llawn dros y misoedd nesaf. Gofynnodd am sylwadau oddi wrth aelodau eraill y Cyngor.

Holodd Mr Huw Arbuthnot a oedd gan y Gweinidog unrhyw dystiolaeth dros y datganiad nad oedd gan Brifysgol Aberacheron mo'r adnoddau i ddatblygu'n gryf heb uno â sefydliad arall. Roedd ei Hadran wedi casglu llu o dystiolaeth, atebodd y Gweinidog, i gyfiawnhau ei rhesymeg, ond roedd synnwyr cyffredin yn dweud nad oedd dyfodol i'r Brifysgol ar ei phen ei hun. Oedd ganddi fwriad, meddai Mr Arbuthnot, i gyhoeddi'r dystiolaeth? Na, doedd dim, meddai'r Gweinidog.

Gofynnodd Dr Hywel Cringoch sut yn y byd roedd y Gweinidog yn disgwyl i'r Brifysgol ddod i gytundeb ag awdurdodau Aberlethe, neu hyd yn oed negodi'n ddidwyll â nhw, ar ôl degawdau o elyniaeth a drwgdybiaeth rhwng y ddau sefydliad? Yn reddfol roedd y ddwy brifysgol yn cystadlu'n ffyrnig yn erbyn ei gilydd, am fyfyrwyr, am grantiau ymchwil, am arian i ddatblygu, am y bêl rygbi. Dywedodd y Gweinidog ei bod hi'n disgwyl i'r ddau Gyngor a'r ddau Is-Ganghellor, fel grwpiau o unigolion aeddfed, gladdu asgwrn y gynnen er lles y sefydliad unedig a Chymru gyfan. Roedd hi ei hun yn fodlon gweithredu fel hwylusydd yn y negodiadau, os dyna oedd dymuniad y ddwy brifysgol.

Sylwodd Dr Alison Zemlinski i'r Gweinidog ddefnyddio'r gair 'uno' i ddisgrifio'r broses o ddod â'r ddwy brifysgol at ei gilydd. Ond ai 'uno' oedd y gair cywir? Gan fod Prifysgol Aberlethe cymaint yn fwy ym mhob ffordd – nifer y myfyrwyr a'r staff, incwm ymchwil, enw rhyngwladol – onid oedd hi'n anochel mai cipio grym fydden nhw yn hytrach na'i rannu? Mater i'r ddwy ochr oedd hynny, yn ôl y Gweinidog, ond yn ei barn hi roedd awdurdodau Aberacheron yn ddigon galluog i amddiffyn eu hachos yn llwyddiannus.

A wyddai'r Gweinidog, meddai Ms Bronwen Glyndŵr, mai corff annibynnol oedd Prifysgol Aberacheron? Pa hawl oedd ganddi i orchymyn i'r Cyngor wneud unrhyw benderfyniad yn erbyn ei ewyllys? Oedd, meddai'r Gweinidog, roedd hi'n llawn ymwybodol o'r sefyllfa gyfreithiol, gyfansoddiadol. Yn wir, roedd hi'n parchu annibyniaeth y Brifysgol ac yn dymuno i hynny barhau yn y dyfodol. Nid gorchymyn oedd ei neges, dim ond gwahodd y Cyngor i wrando ar ei safbwynt a thrafod ei chynigion. Wrth gwrs, roedd rhaid i aelodau'r Cyngor gofio bod y Brifysgol yn dal i dderbyn arian a chefnogaeth gan y llywodraeth, ac felly roedd hawl gan weinidogion – hynny yw, cynrychiolwyr o'r cyhoedd – sicrhau bod eu hadnoddau yn cael eu diogelu. Byddai pawb ar y Cyngor yn gwerthfawrogi'r pwynt hwnnw ac yn dymuno osgoi gwneud unrhyw beth fyddai'n peryglu'r berthynas rhyngddynt a'r llywodraeth. Byddai'n braf iawn petai'r Cyngor yn medru gweld y ffordd yn glir i allu anfon adroddiad cynnydd ar yr uno ati o fewn chwe mis, a chyhoeddi datganiad ar y cyd â Phrifysgol Aberlethe o fewn yr un cyfnod.

Dywedodd y Gweinidog y byddai'n dda ganddi aros i drafod y mater ymhellach, ac ateb llawer mwy o gwestiynau gan aelodau'r Cyngor, ond oherwydd apwyntiad arall yn y ddinas byddai'n rhaid iddi ymadael. Roedd hi'n werthfawrogol iawn o'r cyfle i annerch y Cyngor ac yn dymuno'n dda iddynt yn y dyfodol.

Diolchodd y Cadeirydd i'r Gweinidog am ddod i'r Brifysgol a gadawodd y Gweinidog y cyfarfod am 3:15 y prynhawn.

Parhaodd y drafodaeth ar yr hyn ddywedodd y Gweinidog yn ei habsenoldeb: gw. y cofnodion cyfrinachol arbennig sy'n atodol. Daeth Eitem 5 i ben am 5:30 y prynhawn.

14

11.00 o'r gloch ddydd Mawrth, a safai Menna yn ei lle arferol yn y Mall, mewn ffrog ddu a chyda sgarff goch, lachar am ei gwddf, yn gwylio'r mynd a dod rhwng darlithoedd. Yn y flwyddyn newydd hon, sylwodd, roedd y nifer o fyfyrwyr o Tsieina wedi codi eto, er gwaethaf mesurau'r Llywodraeth yn Llundain yn erbyn mewnfudwyr. Sylwodd hefyd, gyda chryn ddiflastod, cynifer ohonynt oedd yn ysmygu sigaréts, a theimlai'r awydd i fynd atynt a chrefu arnynt i beidio. Ond roedd yn gwybod yn well na thorri ar draws eu sgyrsiau a dechrau pregethu.

Meddyliai pawb ymhlith ei chydnabod mai'r prif reswm, neu'r unig reswm, pam ei bod hi'n treulio cymaint o'i hamser ar y Mall oedd er mwyn casglu newyddion diweddaraf y campws. Creadur cymdeithasol oedd hi, wedi'r cwbl, un oedd yn hoffi dim mwy na sgwrs gyda'i ffrindiau. Roedd y gwir dipyn yn wahanol. Er ei bod yn ofalus i gadw wyneb cyhoeddus oedd bob tro'n rhadlon ac yn siriol, yn ei hanfod roedd Menna'n fenyw swil a phreifat. Roedd llawer o gydnabod a chyd-weithwyr ganddi, ond ychydig iawn o gyfeillion agos. Fyddai neb oedd yn gyfarwydd â hi yn ei bywyd proffesiynol, lle roedd hi'n hunanhyderus a phroffesiynol i'r carn, yn dyfalu am eiliad ei bod hi'n teimlo'n unig yn aml, ac ar goll yn fewnol. Cafodd ei hanafu yn ddifrifol ugain mlynedd yn ôl gan ddyn ifanc oedd wedi cwympo mewn cariad â hi ac wedyn wedi ei gadael heb rybudd i ganlyn merch arall. Ers hynny doedd hi erioed wedi ymddiried yn llwyr mewn unrhyw ddyn arall, ac fe dyfodd hi gragen galed yn erbyn y byd allanol er mwyn peidio â dioddef yn yr un ffordd eto. Nid bod hynny wedi'i rhwystro rhag cael perthynas gyda sawl dyn arall dros y blynyddoedd – rhai'n gwbl anaddas a rhai, fel Llŷr, yn gwmni cynnes a llawn hwyl.

O'r diwedd roedd yr Athro Grimshaw wedi cytuno i brynu silffoedd symudol newydd i'r Llyfrgell – mewn gwirionedd doedd ganddo ddim dewis ar ôl yr adroddiad damniol – a theimlai Menna'n fwy hyderus na fyddai marwolaeth sydyn arall yn digwydd yn ei hadeilad. Cadwai Grimshaw gyfrifoldeb personol dros y Llyfrgell o hyd – doedd ganddo ddim ffydd yng ngallu ei gyd-reolwyr i oruchwylio'r lle – ac fel canlyniad parhâi'r pwysau ar y Llyfrgell. Ar y llaw arall dim ond ychydig iawn o'i amser y gallai'r Is-Ganghellor ei roi i Menna a'i staff oherwydd y pryderon eraill oedd yn pwyso arno.

Gwelodd Menna ei hen gyfaill Bronwen Glyndŵr yn bowlio i lawr y Mall tuag ati. Tra roedd Menna wedi aros yn yr un swydd am flynyddoedd maith, roedd Bronwen, ar ôl graddio (Eidaleg, Prifysgol Aberacheron, Dosbarth Cyntaf) wedi symud swyddi bron bob yn ail flwyddyn. Erbyn hyn, cyfarwyddwraig cwmni offer llawdriniaethol oedd hi, ac oherwydd ei phrofiad yn y byd busnes gwahoddwyd hi i fod yn aelod o Gyngor y Brifysgol.

'Bronwen! 'Nôl ar y campws eto – dwywaith o fewn wythnos. Oes angen holi pam?'

'Nac oes wir, Menna. Newydd ddod o gyfarfod brys pwyllgor y Cyngor, i drafod taranfollt y Gweinidog.'

'Gest ti ddim rhybudd o gwbl fod y Gweinidog yn mynd i wneud cyhoeddiad o'r fath?'

'Naddo. Doedd neb yn gwybod dim. Byddai'r hen Is-Ganghellor wedi clywed rhyw si, siŵr o fod, achos ei fod yn agos i'r byd gwleidyddol, ond does gan Grimshaw ddim yr un cysylltiadau – dyw e ddim yn un sy'n hala amser yn y Bae, yn prynu diodydd i'r Aelodau.'

'Felly sut wyt ti'n mynd i ymateb i gynnig y Gweinidog?'

'Wel, dyna oedd y cwestiwn mawr inni ar y Cyngor heddiw. Mae 'na rai aelodau sy moyn gwrthod y syniad yn llwyr, yn gyhoeddus, ar unwaith. Dy'n nhw ddim yn gallu dygymod â rhywbeth sy'n bygwth annibyniaeth y Brifysgol. Mae'n gas 'da nhw fod y llywodraeth yn ceisio ein blacmelio ni. Wedyn mae'r garfan arall – y mwyafrif. Maen nhw'r un mor wrthwynebus i'r cynnig a'r wltimatwm, ond mae'n well 'da nhw ymladd yn ôl mewn ffordd fwy cyfrwys – trwy oedi, codi gwrthddadleuon cyfreithiol, cynghreirio, siarad â gwleidyddion eraill. Mae'n addo bod yn rhyfel hir a brwnt.'

'Ond o leia chi'n gytûn bod rhaid claddu'r syniad o uno ag Aberlethe.'

'Wel, ydyn, ar y cyfan. Ond sylwais i fod rhai o'r aelodau'n dawel iawn. A'r gair yw bod rhai aelodau hŷn o staff yn llai parod i wrthwynebu.'

'Pwy?'

'Maen nhw'n dweud bod Patricia Clampitt yn sibrwd dan ei gwynt bod cynnig y Gweinidog yn werth ei ystyried o ddifri.'

'Pam tybed?'

'Dyw e ddim yn gyfrinach, ti'n gwbod, bod Patricia yn dal dig yn erbyn yr Is-Ganghellor o hyd. Mae cymryd yn erbyn ei bolisi yn ffordd o dalu'r pwyth. Ond mae si ar led hefyd fod rhywbeth arall ar droed: bod Is-Ganghellor Prifysgol Aberlethe wedi dwyn perswâd arni i gefnogi'r uno – gyda'r addewid, debyg iawn, o swydd bwysig iddi o fewn y sefydliad newydd.'

'Wow! Bradwr yn ein mysg!'

'Wel, mae 'na theori arall ar led, sy'n rhoi hygrededd i'r cyhuddiad. Y tu ôl i ymosodiad y Gweinidog mae rhywun arall – George Plumtree, Is-Ganghellor Aberlethe. Mae pawb yn gwybod bod Plumtree'n uchelgeisiol. Ers blynyddoedd fe fu'n llygadu cyfleoedd i ehangu ei ymerodraeth. Mae Aberlethe'n chwantu am lyncu sefydliad arall er mwyn tyfu a chystadlu yn erbyn bois mawr y byd addysg – ac Aberacheron, yr hen elyn, yw'r dewis amlwg. At hynny, mae Plumtree'n cael ei weld yn aml i lawr yn y Bae. Mae e'n cymdeithasu gyda llawer o'r Aelodau dylanwadol a'r gweision sifil hŷn fan'na. Dyw hi ddim yn amhosib taw fe blannodd hedyn yr uno ym meddwl Mrs Gorey.'

'Rheswm arall i wrthsefyll y cynnig felly.'

'Ie, wir. Ac mae'n anodd rhagweld sut fydd y busnes yma'n dod i ben. Ond beth amdanat ti, Menna? Ti wedi dod dros y busnes anffodus 'na yn y stacs?'

'Ydw, diolch, Bronwen. Ond ar y pryd o'n i'n becso'n arw. A dwi ddim wedi anghofio am y "ddamwain" fondigrybwyll.'

'Beth? Ti ddim yn credu taw damwain oedd hi? Ond roedd y dyfarniad yn gwbl glir.'

'Yn bersonol dwi'n cytuno. Ond mae gan Llŷr Meredydd ryw theori arall – bod rhywun am gael gwared ar yr Athro Jones. Ti'n nabod Llŷr, on'd wyt ti?'

'Rwtsh llwyr. Wrth gwrs mod i'n nabod y dyn. Breuddwydiwr. Ei ben yn y cymylau trwy'r amser.'

'Bronwen, dyw hynny ddim yn hollol deg. Weithiau mae Llŷr yn gallu amgyffred pethau sy tu hwnt i ddealltwriaeth llawer o bobl eraill. Ga i ofyn cwestiwn rhyfedd i ti?'

'Mae'n ddrwg 'da fi, Menna. Anghofiais i dy fod di'n agos iddo fe unwaith. Cer yn dy flaen – gofynna!'

'Ro't ti'n arfer bod yn fyfyrwraig yn yr hen Adran Eidaleg. Felly ti'n nabod Dr Geraint Price?'

'Wrth gwrs. Fe oedd pennaeth yr Adran ar y pryd. Pam?'

'Pa fath o ddyn oedd e, yn dy farn di?'

'Wel, dyn rhyfedd, a dweud y lleia. Byddai e'n gofalu am ei fyfyrwyr yn wych – roedd e bob tro'n gefnogol iawn i mi – ond os oeddet ti wedi codi gwrychyn Geraint unwaith, wedyn roedd popeth ar ben arnot ti. Byddai e'n cofio pob cam, mawr neu fach, am byth. Y gosb oedd cael eich esgymuno o'i gylch a'i gwmni. Weithiau byddai e'n dweud pethau cas am bobl oedd wedi mynd mas o fri, tu ôl i'w cefn. Gelyn peryglus, ddywedwn i. Ond dwi heb weld Geraint ers achau – ers iddo adael y Brifysgol, debyg iawn. Pam yr holl ddiddordeb ynddo?'

'Mae rhywbeth od wedi digwydd. Fel dywedaist ti, doedd dim siw na miw ohono fe ar ôl iddo gael ei hala o'r Brifysgol gan Diocletian Jones. Ond yn sydyn iawn, ers marwolaeth yr Is-Ganghellor, dyma fe 'nôl ar y campws. Mae e i'w weld yn y Llyfrgell yn aml. Gafodd Llŷr gip ohono'n cael ffrae ar bwys y Mall ychydig ddyddiau yn ôl. Cyd-ddigwyddiad rhyfedd iawn. Roedd gan Dr Price ddigon o reswm i wneud i'r Is-Ganghellor ddiflannu o'r byd.'

'A dyna yw damcaniaeth Llŷr? Bod Geraint wedi llofruddio'r Is-Ganghellor? Wedi blynyddoedd o aros ac oedi? Ac mewn lle lletchwith iawn? Mae dychymyg Llŷr yn amlwg yn drech nag e! Neu falle ei fod yn sgrifennu nofel dditectif!'

'Ond mae dy lun seicolegol ohono yn awgrymog iawn, Bronwen. Dylen ni gael gair 'da fe, o leia.'

Yn amlwg roedd gan Bronwen bethau gwell i'w gwneud. Esgusododd ei hun, a rhuthro i ffwrdd. A llai na munud yn ddiweddarach, cyn bod cyfle i Menna fynd 'nôl i'w swyddfa yn y Llyfrgell, cerddodd Llŷr tuag ati.

'Menna, blodyn tatws! Ti'n gwbod beth? Ti'n dechrau cael effaith fawr arna i. Effaith dda. Ar ôl ein sgwrs y noson o'r blaen dwi wedi ailafael ar fy ymchwil! Wedi darganfod byd rhyfedd yr hacwyr. Mae'n ymddangos bod 'na hacwyr da a hacwyr drwg. Anarchiaid gan amla yw'r hacwyr drwg, sy'n hoff iawn o greu anrhefn…'

'Falch o glywed 'nny, Llŷr. Ond mae gen i newyddion am rywbeth llawer pwysicach: llofruddiaeth – llofruddiaeth honedig – y diweddar Is-Ganghellor.'

Esboniodd Menna am ei sgwrs gyda Bronwen Glyndŵr, ac am yr amheuon am Dr Geraint Price.

'Diddorol iawn, Menna – ac arwyddocaol, debyg iawn. Dwi'n meddwl y dylen ni drefnu sgwrs ddifrifol gydag e. Beth am inni awgrymu cwrdd oddi ar y campws – dyweda, yn Donizetti's ar ben arall y prom?'

'Syniad da. Galla i chwarae rôl y "cop da", a ti'r "cop drwg".'

'Y ffordd arall rownd, 'sen i'n meddwl. Y rheswm pam mod i'n griminolegydd yw mod i'n rhy addfwyn i fod yn blismon effeithiol.'

15

Amser coffi yn ystafell gyffredin Ysgol y Gyfraith. Yn wahanol i fannau tebyg mewn Ysgolion eraill, oedd yn efelychu Starbucks neu Costa er mwyn i'r myfyrwyr deimlo'n fwy cartrefol, roedd y lle cyfyng hwn yn debyg i ystafell aros mewn llys barn neu orsaf heddlu. Dim carped ar y llawr, dim lluniau lliw, pert o Gwm Acheron Uchaf yn y gwanwyn ar y wal. Yr unig beth i'w weld, ar wahân i hen beiriant coffi, nifer o gadeiriau plastig a bord anniben, oedd hysbysfwrdd mawr, yn llawn papurau melyn – hysbysebion am gigs rap, y gwasanaeth gyrfaoedd a chyfarfodydd Cymdeithas Cyfreithwyr Radical, rhybuddion am iechyd rhywiol ac amseroedd arholiadau a *mugshots* du a gwyn pum mlwydd oed o ddarlithwyr yr Adran, rhai ohonynt wedi hen adael y Brifysgol.

Safai Lisa a Llŷr wrth y ffenestr â chwpanau yn eu dwylo. Roedd Lisa'n dechrau dangos arwyddion gofid ar ei hwyneb, synhwyrodd Llŷr. A dim syndod – roedd y fwyell yn hongian o hyd uwchben yr Adran Griminoleg, ac erbyn hyn roedd y cysgod tywyll o uno â Phrifysgol Aberlethe wedi disgyn dros bawb.

'Y broblem,' meddai Lisa, 'yw bod gan Aberlethe adran gyfraith gref iawn – a phennaeth arni sy'n cael ei nabod fel Genghis Khan yr ail ymhlith ysgolion cyfraith y wlad. Maen nhw'n rhwym o weld ein hysgol ni fel pysgodyn bach i'w lyncu mewn un cegaid.'

'I boeri'r esgyrn bach mas wedyn. Esgyrn bach pobl fel fi sy ddim yn rhannu eu gweledigaeth.'

'Falle fydd e byth yn digwydd. Fe allai sawl peth fynd o'i le gyda'r cynllun eto. A drycha – mae'r myfyrwyr yn effro i'r bygythiad.'

Islaw yn y Mall, y tu allan i'r Undeb, roedd grwpiau o fyfyrwyr yn dechrau ymgasglu, ac yn lledu baneri. 'Achub Aber!' dywedai un ohonynt, '-eron' wedi'i ychwanegu mewn ysgrifen anniben, ar ôl i rywun sylwi y gallai 'Aber' olygu 'Aberlethe' hefyd. Roedd neges arall yn fwy personol: 'Plumtree – bacha hi o 'ma!' a gofynnai'r trydydd, 'Lle mae llais y myfyrwyr?'

'Beth yw cynllun y myfyrwyr, sgwn i?' holodd Llŷr. 'Gorymdeithio i'r Bae a phrotestio tu fas i'r Senedd? Ymosod ar gampws Aberlethe a hoelio'r Is-Ganghellor i'r wal?'

'Y naill neu'r llall, 'swn i'n disgwyl. Debyg iawn, byddan nhw'n penderfynu anelu eu dicter at ein Is-Ganghellor ni. Dy'n nhw ddim yn gallu gwerthfawrogi bod Grimshaw yn chwarae'r "gêm hir". Iddyn nhw mae e'n ymddangos yn ddi-asgwrn-cefn, gyda'i ddatganiadau gwenciaidd am "ystyried cynnig y Gweinidog o ddifrif" a "chynnal trafodaethau synhwyrol gyda'n cyfeillion ym Mhrifysgol Aberlethe". Byddai'n well 'da nhw tasai e'n gwrthod cynllun y Gweinidog, yn hallt ac yn gyhoeddus.'

'Meddiannu swyddfeydd yr Is-Ganghellor: dyna be wnân nhw, am yr ail dro o fewn tri mis?'

'Hollol bosib, Llŷr. Falle bydd rhai o'r staff yn ymuno â nhw.'

'Beth ti'n feddwl? Dwi'n gwybod bod Grimshaw yn bell o fod yn boblogaidd...'

'Wel, mae'n amlwg ei fod yn gwneud pob peth posibl i godi gwrychyn y staff academaidd.'

'Beth sy'n bod nawr?'

'Bydd pawb yn derbyn neges heddiw i ddweud y bydd rhaid i bob athro farcio gwaith eu myfyrwyr ar sgrin o hyn ymlaen. Fe fydd hi'n annerbyniol marcio ar bapur.'

'Mawredd! Dyna newid radical. Sdim rhybudd wedi bod...'

'Nac oes. Penderfyniad Grimshaw a neb arall yw e. Dyw e ddim wedi ymgynghori â neb, hyd yn oed pobl y Gofrestrfa. Dywedodd Cassandra Evans wrtha i ei bod hi wedi gwneud ei gorau i'w rybuddio, ond doedd e ddim yn gwrando arni. Mae hyn yn mynd i achosi problemau di-rif. Fydd llawer o'r staff hŷn yn methu ymdopi. Prin fod llawer ohonynt yn gallu defnyddio cyfrifiadur. A dweud y gwir, dwi'n amau taw nod yr Is-Ganghellor yw defnyddio'r rheol newydd hon i gael gwared ar staff sy'n tynnu at oed ymddeol.'

'Ti'n mynd yn sinigaidd iawn, Lisa. Bydd y myfyrwyr yn fodlon iawn gyda marcio ar-lein, mae'n siŵr.'

'Cawn ni weld. Ydy hi'n sinigaidd i hiraethu am oes pan fyddai prifysgolion yn cael eu rheoli ar sail trafod a phenderfyniadau ar y cyd?'

Doedd dim angen ateb gan Llŷr. Roedd hi bron yn amhosibl cofio 'nôl i'r amserau hynny.

*

Daeth Emilio Donizetti â'i gaffi i ben y prom yn Aberacheron ugain mlynedd yn ôl, er bod ei deulu yn berchen ar gaffis yng Nghwm Tartarus ers bron i ganrif. O'r cychwyn enillodd y caffi newydd enw da ymysg ymwelwyr ond hefyd gyda thrigolion y ddinas. Roeddent hwythau'n enwog am eu hagwedd hedonistaidd at fywyd. Un o'u hoff arferion oedd rhodio ar hyd y prom – roedd Protestaniaeth a'i pharch at waith caled wedi hen golli eu gafael arnynt – gan ddiweddu yn Donizetti's. Roedd y baristas a'r coffi o'r safon uchaf, a'r hufen iâ'n adnabyddus trwy'r wlad. Roedd yn enwog hefyd am wasanaeth chwim. Weithiau byddai coffi'n cyrraedd cyn ichi ei archebu, yn ôl y sôn. Ffynnodd y caffi cymaint nes y bu'n rhaid codi estyniad bob pum mlynedd, ac erbyn nawr gallai tri chant o bobl eistedd o fewn ei furiau.

Byddai pobl yn dod i Donizetti's i wneud eu busnes hefyd. Yn wir, ar un adeg, medden nhw, byddai rhai o benderfyniadau pwysicaf y wlad yn cael eu gwneud gan weinidogion y llywodraeth a'u cyfeillion o amgylch y byrddau coffi hyn. Am fod y lle'n swnllyd iawn roedd hi'n bosibl cynnal sgwrs breifat heb broblem.

Doedd Menna a Llŷr ddim wedi aros yn hir cyn gweld Dr Geraint Price yn gweu ei ffordd yn betrus rhwng y bordydd tuag atynt. Gwisgai siaced frown, ddi-siâp, trowsus llac, hen sgidiau a golwg ofidus. Croesawodd Menna e i'r bwrdd, cyflwyno Llŷr a chynnig prynu coffi. Roedd e'n amlwg yn nerfau i gyd, fel dyn oedd wedi heneiddio cyn ei amser.

'Diolch o galon am gytuno i ddod i siarad â ni, Dr Price. Hoffen i gael sgwrs anffurfiol, hollol gyfrinachol, am ddigwyddiad sy'n achos tipyn o benbleth inni. Sef marwolaeth sydyn yr Athro Diocletian Jones.'

Neidiodd un o'r cyhyrau ar wyneb Geraint Price.

'Y cyn Is-Ganghellor? Ond ar ran pwy y'ch chi'n gofyn cwestiynau?'

'Neb. Y cyfan y'n ni'n moyn yw datgelu'r gwir am y farwolaeth.'

'Ond damwain oedd hi, roedd pawb yn gytûn…'

'Wel, mae'n ymddangos fel'na ar yr wyneb, ond yn ein barn ni does neb wedi ymchwilio i'r posibiliadau eraill.'

'Pa bosibiliadau? Pam fi?'

'Achos ein bod ni'n gwybod,' parhaodd Llŷr, 'am eich chwerwder ac atgasedd tuag at y dyn, wedi ichi dderbyn triniaeth greulon ac annheg ganddo rai blynyddoedd yn ôl. Mae'n hysbys iawn hefyd ichi siarad o bryd i'w gilydd am ddial arno fe.'

Tawelwch, am bron i hanner munud. Roedd Dr Price yn edrych fel petai ar fin llefain. Plygodd ymlaen a rhoi ei wyneb yn ei ddwylo. Gallai Menna a Llŷr glywed rhyw ochenaid yn dod o berfeddion ei gorff. O'r diwedd cododd ei ben a gorfodi ei hun i siarad. Trwy lwc sylwodd neb arall ar yr olygfa deimladwy hon.

'Iawn. Man a man imi ddweud y cyfan wrthoch chi. Does dim pwynt cuddio pethau, achos mae llawer o bobl yn gwbod sut dwi'n teimlo ers blynyddoedd. Y gwir yw mod i wedi meddwl am ddim byd arall bron, ers imi golli fy swydd, ond sut i dalu'r pwyth yn ôl i'r diawl. Uffern ddi-ben-draw yw fy mywyd ers y diwrnod hwnnw. Gynt o'n i'n bennaeth adran, ymchwilydd ag enw da yn fy maes, athro parchus. Dros nos o'n i'n neb – rhywun di-bwys – wedi colli popeth. Neb yn moyn siarad 'da fi. A'r cyfan diolch i un dyn – Diocletian Jones CBE.'

Tawelwch eto. Roedd Dr Price naill ai'n ail-fyw ei brofiadau erchyll dros y blynyddoedd diweddar, neu'n ceisio magu digon o gryfder i barhau â'i stori.

'I ddechrau breuddwydio wnes i. Ddydd a nos, meddwl am sut allwn i ymosod ar Jones. Trwy ddinistrio ei enw da fel awdurdod yn ei faes academaidd. Yn well byth, trwy ddarganfod rhyw ddirgelwch cywilyddus yn ei fywyd personol, neu bethau llygredig yn ei waith. Unrhyw ffordd o sicrhau y byddai e'n diodde yn yr un ffordd ag y gwnes i – neu'n waeth.

'Ond ar ôl blwyddyn doedd breuddwydion ddim yn

ddigon. Dechreuais gynllunio. Cynllunio, er enghraifft, i drefnu damwain iddo. Chi'n nabod y llwybr ar dop y clogwyn uwchben Porth Minos? Hawdd llithro ar y cerrig gwlyb – dylen nhw ddargyfeirio'r llwybr, mae'n rhy beryglus o lawer – ac i ffwrdd â chi, i lawr i'r creigiau garw, gannoedd o droedfeddi islaw. Gwthiad bach, a byddai hi wedi canu ar Diocletian – damwain anffodus, ddealladwy. Yr unig broblem oedd sut i ddenu'r dyn i'r llwybr yn y lle cynta. Felly fe weithiais i ar ail gynllun. Gwenwyn y tro 'ma – dwi'n digwydd gwbod ychydig am effeithiau gwahanol wenwynau. Ond eto roedd 'na broblem: sut i ddod yn ddigon agos i'r dyn i allu rhoi'r ddiod farwol iddo? A pheth arall: roedd e'n rhy debyg i blot un o nofelau Agatha Christie.

'O'r diwedd, ar y trydydd cynnig, ffeindiais i gynllun gwell, mwy ymarferol. Ro'n i'n gwbod bod Jones yn dal yn weithgar fel ymchwilydd, ac yn ymweld â'r Llyfrgell yn aml, yn hwyr y nos, pan nad oedd llawer o bobl ar y campws. Fy mwriad oedd aros nes ei fod yn pasio o dan y sgaffaldiau y tu allan i brif ddrws yr adeilad, a gollwng un o'r blociau concrit mawr 'na ar ei ben. Damwain anffodus, a'r adeiladwyr esgeulus fyddai'n cael y bai.

'Ond cyn bod cyfle imi weithredu'r cynllun, clywais y newyddion am y ddamwain go iawn. O'n i'n digwydd bod yn Aberlethe y diwrnod hwnnw gyda ffrindiau, a dwi'n cofio rhoi sioc iddyn nhw trwy neidio lan a lawr mewn llawenydd. Allwn i ddim credu bod y diwedd wedi dod i Jones yn yr un un lle ag o'n i wedi cynllunio hynny – damwain neu beidio. O'n i'n amau ar unwaith fod 'na rywun – rhywun fel fi – oedd am ei waed, ac mae digon ohonon ni, heb os – wedi'i ladd. Y diwrnod hwnnw oedd y diwrnod cynta o hapusrwydd o'n i wedi ei brofi ers colli fy swydd.

'Ers y farwolaeth dwi wedi bod yn pendilio rhwng y rhyddhad bod dim angen imi weithredu fy nghynllun, ac edifeirwch na lwyddais i fod yn dyst i ddiwedd Diocletian. Ond y peth pwysica yw hyn – o'r diwedd mae fy hunlle i ar ben. Galla i ddechrau byw bywyd normal unwaith eto.'

Distawrwydd. Yn amlwg roedd y gyffes hon wedi dihysbyddu holl egni Dr Price. Eisteddai 'nôl yn wan yn ei gadair, y coffi'n oeri yn y cwpan o'i flaen. Annoeth felly fyddai ei groesholi'n bellach, ond teimlodd Menna fod angen gofyn cwestiwn terfynol.

'Chi'n meddwl felly y gallai rhywun fod wedi llofruddio'r Is-Ganghellor?'

'Wn i ddim. Os felly, rhaid bod y llofrudd yn ddyn neu'n ddynes glyfrach na fi. Fyddwn i erioed wedi meddwl am ddefnyddio'r silffoedd symudol – dewis athrylithgar! Ond rhaid bod e – neu hi – yn gyfarwydd â pheirianwaith y silffoedd, a'r nam oedd arnyn nhw.'

Diolchodd Menna i'r darlithydd am ei gydweithrediad, ac am siarad mor onest. Fyddai neb yn clywed gair am eu sgwrs. Er bod Dr Price yn swp disymud yn ei gadair, eto roedd awgrym bod y profiad o gyfaddef fel y gwnaeth wedi bod yn gymorth ysbrydol iddo.

Arhosodd Menna a Llŷr am eiliad yn yr haul y tu allan i ddrws Donizetti's.

'Llŷr, anghofion ni ofyn iddo fe am y ffrae rhyngddo fe ac Adelina…'

'Sdim ots am hynny. Gallwn ni groesi Geraint Price oddi ar ein rhestr, mae'n amlwg, Menna.'

'Gallwn. Diddorol beth ddywedodd e am ein llofrudd – fe allai fod yn fenyw, o bosib, meddai – rhywun oedd yn gwybod sut roedd y silffoedd yn gweithio.'

'Ie. Dylen ni fod yn chwilio am rywun oedd yn arfer mynd at y silffoedd yn rheolaidd ar gyfer ei waith. Tybed oes rhywun ar staff y Llyfrgell – un o'r porthorion falle – fyddai'n gallu rhoi rhestr inni o ddarllenwyr seloca'r llawr isa?'

16

Roedd y bennod ar hacwyr bron yn ysgrifennu ei hun, wrth i Llŷr ddarganfod mwy a mwy amdanynt, a dod yn fwyfwy cynhyrfus am ei gasgliadau. Gan amlaf roedd hacio yn ddim byd ond niwsans, gêm pobl ifanc ddireidus oedd am osod sialens iddyn nhw eu hunain. Ond gellir diffinio dau grŵp arall, mwy difrifol: hacwyr politicaidd, anarchwyr ar y cyfan, oedd am wneud pwynt gwleidyddol trwy ymosod ar lywodraethau, cwmnïau rhyngwladol neu awdurdodau eraill. Darllenodd, gyda pheth bodlonrwydd, yn ddiweddar am ymosodiad difrifol ar system gyfrifiadurol MegaMagic Inc. Y trydydd grŵp oedd yr un mwyaf peryglus: troseddwyr masnachol a geisiai gael gafael ar gyfrineiriau a manylion unigolion er mwyn dwyn arian o'u cyfrifon banc. Gallai'r mwyaf soffistigedig hyd yn oed ddwyn arian yn uniongyrchol wrth y cwmnïau eu hunain, a fyddai'r rheini ddim yn sylweddoli tan fisoedd wedi iddyn nhw gael eu blingo. A beth am lywodraethau? Fyddai hi ddim yn hir, debyg iawn, cyn i Tsieina neu Rwsia ddefnyddio'r celfyddydau tywyll i ddylanwadu ar ddigwyddiadau gwleidyddol yma.

Ac wedyn roedd yr 'hacwyr da': rhaglenwyr ifainc, clyfar fyddai'n gweithio trwy ganiatâd sefydliadau i ddyfeisio ffyrdd newydd o ddefnyddio cod cyfrifiadurol.

Yn sydyn cofiodd Llŷr am yr haciwr addawol oedd yn aelod o Undeb y Myfyrwyr – ai John Bevan oedd ei enw? Gwnaeth nodyn meddyliol i'w wahodd am gyfweliad er mwyn darganfod rhagor am ei sgiliau a'i gymhelliad. Roedd ar fin cau ei gyfrifiadur a gadael ei ystafell pan ddaeth cnoc ysgafn ar y drws.

'Dewch i mewn!'

Agorodd y drws a sleifiodd Branwen Meadows i mewn yn wylaidd.

'Branwen! Braf eich gweld.'

'Bore da, Llŷr. Chi'n cofio rhoi cyngor da imi rai misoedd yn ôl – am brotest y myfyrwyr yn swyddfeydd yr Is-Ganghellor?'

'Ydw. Ond, os cofia i'n iawn, wnes i ddim cynnig cyngor go iawn. Ond ta waeth am hynny – beth alla i wneud ichi nawr?'

'Dim. Fi ddim yn gofyn am gyngor y tro 'ma. Dim ond eich rhagrybuddio chi.'

'Am beth?'

'Wel, mae'r myfyrwyr yn cynllunio protest arall. Protest yn erbyn methiant yr Is-Ganghellor i wrthod uno gyda Phrifysgol Aberlethe. Maen nhw'n bwriadu gwneud yr un peth 'to – meddiannu ei swyddfeydd.'

'Ydy hynny'n ddoeth, chi'n meddwl?'

'Fi ddim yn siŵr. Mae digon o fyfyrwyr sy'n flin iawn bod yr Athro Grimshaw yn ymddangos mor simsan am y bygythiad i'r Brifysgol, ac yn dymuno cynnig bach o asgwrn cefn iddo fe. Ond fi'n ofni fod 'na garfan fach ohonyn nhw, gan gynnwys y Llywydd, Jâms O'Donnell, sy moyn ecsbloetio'r sefyllfa i greu trwbl a phryfocio'r Is-Ganghellor i ymateb yn gryf. Os darllenais fy llyfrau hanes comiwnyddiaeth yn iawn, mae'n hen dacteg gan y Chwith "babanaidd", chwedl Lenin.'

'Marciau llawn, Branwen! Chi'n llygad eich lle, yn ôl pob tebyg. Fyddwch chi'n ymuno yn y brotest?'

'Fi ddim yn meddwl. Mae 'da fi ddigon ar fy mhlât yn barod,

yn helpu myfyrwyr yn yr Adran Chwaraeon. Maen nhw dan y lach trwy'r amser – a'r staff hefyd – diolch i'r Pennaeth.'

'Galla i gydymdeimlo.'

Gari Grimshaw oedd yr Athro newydd oedd yn gyfrifol am yr Adran Gwyddoniaeth Chwaraeon. Doedd neb yn deall sut yn union y cafodd brawd yr Is-Ganghellor ei ddethol – un oedd mor anwydodus am chwaraeon a chwaraewyr – i swydd uchel yn y Brifysgol. Ar yr wyneb defnyddiwyd y dulliau iawn, ond allai neb gredu nad oedd elfen o nepotistiaeth yn y dewis.

Ers ei benodiad bu sôn cyson am yr Adran. Rhannodd Gari etifeddiaeth enetig ei frawd, gan ei fod yn unben na allai oddef unrhyw farn oedd yn wahanol i'w syniadau e. Dangosai ddirmyg tuag at bron pob un o'r darlithwyr yn yr Adran, a doedd e ddim yn hoff o'r myfyrwyr chwaith. Y broblem oedd nad oedd neb bron yn medru cyrraedd ei safonau uchel. Ei brif werthoedd oedd rhagoriaeth a chystadleuaeth – pwy, meddai, allai ddadlau yn erbyn 'nny? – ond byddai bron pawb yn methu cyrraedd y ddelfryd. Yn aml byddai'n awgrymu wrth ddarlithwyr na fyddai lle iddynt yn y Brifysgol, ac wrth fyfyrwyr fod eu hagweddau'n ddiffygiol. Y si oedd ei fod yn edmygu Llywydd Gweriniaeth Gogledd Corea. 'Trueni mawr,' meddai, yn ôl un stori amheus, 'bod dim hawl 'da fi, fel sydd gan Mr Kim Jong-Un, i gosbi rhywun am anghytuno â mi ar fater o bolisi trwy ei saethu'n farw.'

Cyn hir bu cyhuddiadau o fwlio yn erbyn Gari Grimshaw, gan staff a myfyrwyr, a chyda chefnogaeth yr undebau. Cymerodd yr Athro yn erbyn pob un o swyddogion yr undebau. 'Barfau pigfain, meddyliau marwaidd' oedd un o'i ddisgrifiadau caredicaf. Ymosod oedd y ffordd orau o amddiffyn ei hun.

'Bydd rhaid imi ymddangos gerbron panel disgyblu'r

wythnos nesa,' meddai Branwen, 'i gefnogi myfyrwraig sy'n dweud i Grimshaw ymosod arni'n hallt am ddod yn ail mewn ras can metr. "Cywilydd arnoch chi!" meddai fe, "dwi ddim yn dymuno eich gweld ar y campws hwn am weddill y semester." Roedd hi'n beichio wylo.'

'Fel mae'n digwydd, ces i wahoddiad i sefyll ar banel apêl yn erbyn yr Athro Grimshaw. Dwi ddim yn edrych ymlaen at y profiad.'

'O ystyried popeth mae gan yr Is-Ganghellor fwy na'i siâr o bryderon. Gobeithio na fydd e'n diodde'r un ffawd â'r Athro Jones. Digwyddiad rhyfedd iawn oedd hwnnw. Fi'n meddwl amdano'n aml. Yn arbennig am bo fi yn y Llyfrgell y noson honno.'

'Beth! Yn adeilad y Llyfrgell? Pan gollodd yr Is-Ganghellor ei fywyd? Doedd dim clem 'da fi. Weloch chi rywbeth felly?'

'Naddo. Yn gynharach fues i 'na. Ac o'n i ddim ar y llawr gwaelod. Gadewais i'r Llyfrgell gwpwl o oriau cyn y digwyddiad.'

'Dim syndod eich bod chi'n myfyrio'n aml am y ddamwain. Welsoch chi unrhyw un yn yr adeilad y noson honno?'

'Ambell i fyfyriwr blwyddyn ola, ond neb yn arbennig.'

'Dim darlithwyr o gwbl?'

'Do, fe welais i rywun. Rhywun annisgwyl. Tua naw o'r gloch. Roedd hi'n dod i mewn trwy'r fynedfa wrth imi gerddded mas. Fi'n cofio, achos bod rhywbeth od amdani. Hynny yw, fi'n siŵr nad dyna oedd ei llyfrgell hi, o ystyried ei phwnc academaidd.'

'Pwy felly?'

'Yr Athro Patricia Clampitt.'

'Pam fyddai hi'n ymweld â'r Llyfrgell? Tybed oedd hi'n gwbod bod yr Is-Ganghellor yn yr adeilad? Wel, wel.'

'Dwi heb ddweud dim am hyn wrth neb cyn heddiw. Ddim yn meddwl gallai e fod o bwys. Chi'n meddwl ei bod hi'n *mixed up* gyda busnes y farwolaeth?'

'Annhebygol iawn, ond diolch am gofio!'

Daeth y newyddion hyn fel bollt o'r awyr las i Llŷr, ac ar ôl i Branwen adael ei ystafell, doedd e ddim yn gallu canolbwyntio ar ei lyfr eto. Eisteddai yn ei gadair, gan feddwl am y rhesymau posibl pam byddai Patricia Clampitt yn dymuno cornelu Diocletian Jones mewn lle mor gyhoeddus. Neu ai cyd-ddigwyddiad llwyr oedd y cyfan?

Roedd e bron wedi penderfynu mynd i weld yr Athro Clampitt a siarad â hi'n blwmp ac yn blaen, pan ddaeth cnoc arall ar y drws.

'Gene! Dyma syrpréis! O'n i'n meddwl dy fod ti wedi mynd i Rio de Janeiro i wneud tipyn o ymchwil a gwaith maes yn y *favelas*.'

'Dim o'r fath beth, mae'n flin 'da fi ddweud.'

'Dy'n ni ddim yn gweld llawer ohonot ti'r dyddiau hyn – ers i'r hen Is-Ganghellor ddiflannu.'

Bu newid mawr arall yn Gene Drinkwater yn ddiweddar. Roedd y cochni wedi mynd o'r wyneb. Ni fu adroddiadau amdano'n colli ei dymer yn gyhoeddus ers misoedd.

'Diflaniad. Dyna iwffemism hyfryd, Llŷr. Gwynt teg ar ei ôl! Na, fe ddes i mewn i ddweud wrthot ti y bydd yr Is-Ganghellor newydd ar y teledu heno, yn fyw, i siarad am broblemau'r Brifysgol, medden nhw. Tipyn o adloniant ysgafn iti, o bosib, i dorri ar draws y gwaith di-ben-draw ar y llyfr.'

'Diolch, Gene. Bydda i'n siŵr o wylio.'

17

Trawsgrifiad archifol

At sylw'r Rheolwr Cyffredinol, BBC Cymru

BBC Cymru, Rhaglen *Dydd a nos*, 30 Tachwedd 2015, 7:00pm

Cyflwynwyr: Heledd ap Rhodri a Guto Maggs

Cynhyrchydd: Joni Hepplewick

Munudau 33–43

Heledd:… a byddwn ni'n adrodd eto ar y stori 'na 'fory, pan fyddwn ni'n cyfweld y dyn o Landdew sy'n gwrthod colli pwysau, a'r meddyg sy'n gwrthod ei drin nes ei fod yn newid ei feddwl.

Guto: Eto i ddod ar y rhaglen heddiw: sut i ddarganfod bod eich partner yn cael *affair*, y ffrae yn y Bae am yr Aelod Cynulliad sy'n hawlio treuliau am fynd ar wyliau, a rhagolygon y tywydd, gyda Raymond.

Raymond: Diolch, Guto. Heddiw, dyma fi yn y Bontfaen i roi'r diweddara ar y tywydd garw sy ar ei ffordd inni i gyd fory. Y stori lawn yn nes ymlaen.

Heledd: Argoeli'n dda. Ond cyn hynny, gadewch inni edrych ar helyntion Prifysgol Aberacheron. Yma yn y stiwdio mae 'da ni ddau aelod o'r Brifysgol sy â safbwyntiau gwahanol ar y sefyllfa. Ond yn gyntaf dyma ein gohebydd addysg, Cerys Beynon, i adrodd ar gefndir y problemau o'r campws yn Aberacheron.

Cerys: Diolch, Heledd. Rwy'n sefyll o flaen adeiladau canolog y Brifysgol. Neithiwr aeth rhyw gant a hanner o fyfyrwyr i mewn i'r adeilad, a gwrthod ymadael. Maen nhw yma o hyd. Y tu ôl imi gallwch chi weld, mae'n siŵr, rai o'u baneri sy'n hongian o'r ffenestri. 'Ymladd dros ein dyfodol - neu'i golli!' medd un ohonyn nhw, a 'Grimshaw - ymddiswyddwch!' yw neges yr ail. Mae'r sŵn sy'n dod o'r adeilad yn fyddarol, felly maddeuwch imi am weiddi.

Fel y cofiwch chi, mae'r Brifysgol wedi bod yn y penawdau'n gyson ers marwolaeth sydyn y cyn-Is-Ganghellor, Diocletian Jones, ddau fis yn ôl. Ffigwr amhoblogaidd iawn fuodd e ymysg rhai o'r staff a'r myfyrwyr am ei steil bendant o arwain y sefydliad. Ers hynny mae'r Brifysgol wedi dod dan bwysau gan y Llywodraeth i uno gyda Phrifysgol Aberlethe. Mae ymateb cymysg i'r cynnig hwnnw ar y campws yma, gyda'r myfyrwyr yn anghytuno'n ffyrnig â'r ffordd mae'r awdurdodau'n delio â'r sefyllfa. Maen nhw'n galw ar yr Is-Ganghellor newydd, yr Athro Roger Grimshaw, i wrthsefyll y syniad o uno llawer yn galetach. Dyna pam eu bod nhw wedi meddiannu swyddfa'r Is-Ganghellor. Fyddan nhw ddim yn gadael, maen nhw'n dweud, nes bod yr Athro Grimshaw yn cytuno i'w gofynion.

Mae gan y myfyrwyr gryn dipyn o gefnogaeth ymhlith y staff, sy'n cyhuddo'r Is-Ganghellor o fod yn rhy awdurdodaidd. Mae eraill yn flin oherwydd ymddygiad yr Athro Gari Grimshaw, brawd yr Is-Ganghellor, sy'n bennaeth ar Adran Chwaraeon y Brifysgol. Mae'n ymosod ar unrhyw un sy'n anghytuno ag e, meddan nhw, a dwi'n clywed fod hyd at ddeg o staff academaidd wedi gadael yr Adran o fewn y tri mis diwethaf. Pan ofynnais i i'r Athro Grimshaw a oedd unrhyw wirionedd yn y sïon hyn, ei unig ateb imi oedd, 'Os yw hi'n rhy boeth ichi, gwell ichi adael y gegin.'

Heno fe ddaeth datganiad oddi wrth Is-Ganghellor Prifysgol Aberlethe, yr Athro George Plumtree. 'Edrychaf ymlaen,' dywedodd e, 'at gydweithio gyda'n cyfeillion ym Mhrifysgol Aberacheron. Yn bersonol, dwi'n mawr obeithio y gallwn ni gyrraedd cytundeb buan, a chreu prifysgol newydd gref iawn, dan arweinyddiaeth flaengar ac egnïol.'

Does dim diwedd mewn golwg i'r weithred gan y myfyrwyr yma, Heledd. Mae'n ymddangos bod pawb yn aros am ymateb gan yr awdurdodau. Nawr, 'nôl o Aberacheron i chi yn y stiwdio.

Heledd: Diolch, Cerys. Mae'n dda 'da fi ddweud bod yr Athro Roger Grimshaw, Is-Ganghellor Prifysgol Aberacheron, yn ymuno â ni yma, a gydag e, Jâms O'Donnell, Llywydd Undeb y Myfyrwyr. Os ga i droi atoch chi gyntaf, Jâms, pam eich bod chi wedi penderfynu torri'r gyfraith trwy feddiannu un o adeiladau canolog y Brifysgol, a hynny am yr ail dro mewn tri mis?

Jâms O'Donnell: 'Swn i'n anghytuno yn llwyr gyda'ch defnydd o'r ymadrodd 'torri'r gyfraith'. Ein prifysgol ni yw hi. Dyna pam mae'r myfyrwyr wedi gweithredu – i amddiffyn y Brifysgol rhag ymosodiadau gan y Llywodraeth a Phrifysgol Aberlethe – a rhag yr Is-Ganghellor diymadferth a di-asgwrn-cefn hwn.

Yr Athro Roger Grimshaw: Gan bwyll nawr. Ddes i ddim yma er mwyn clywed enllibion fel 'na. Chi'n gwybod yn iawn bo chi'n torri'r gyfraith.

Heledd: Byddwn ni'n dod atoch chi mewn munud, yr Athro Grimshaw. Jâms, oni fyddai'n well i chi a'ch ffrindiau eistedd lawr a siarad gyda'r Is-Ganghellor – trafod eich cwynion 'da fe mewn ffordd resymol?

J.O'D.: Ceision ni ein gorau. Ond dyw'r Athro Grimshaw ddim yn ddyn sy'n hoffi trafod gyda phobl sy ddim yn rhannu ei syniadau.

Heledd: Felly beth yw'ch gofynion yn yr Undeb?

J.O'D.: Dau beth y'n ni moyn iddo fe wneud, dyna i gyd - ishte lawr 'da ni a ffeindio ffordd o achub y Brifysgol hon rhag mynd i ebargofiant.

Heledd: I ebargofiant? Ond mae'r Athro Plumtree, Is-Ganghellor Aberlethe, yn siarad mewn ffordd gymwynasgar a chyfeillgar...

J.O'D: Does neb yn credu'r dyn. Lice fe gael ei grafangau arnon ni, does dim dwywaith.

Heledd: A'ch ail ddymuniad?

J.O'D.: Licen ni drafod 'da hwn sut i ddatrys yr argyfwng yn yr Adran Chwaraeon. Y myfyrwyr sy'n mynd i ddiodde os yw enw'r Brifysgol yn cael ei lusgo trwy'r baw - a llawer gwaeth os bydd hi'n diflannu i lawr gwddw Prifysgol Aberlethe. Allwn ni ddim gadael i'n haelodau yn yr Adran Chwaraeon ddiodde, chwaith, oherwydd ymddygiad hollol annerbyniol ei Phennaeth.

Guto: Dyna gyhuddiad difrifol. Beth yw'ch cwyn am yr Athro Gari Grimshaw?

J.O'D.: Yn syml, mae'r dyn yn dod ag anfri ar yr Adran a'r Brifysgol. Mae e wedi cythruddo bron pawb ar y staff academaidd, ac mae'r myfyrwyr yn ei ofni fe.

Guto: Diolch am y tro. Yr Athro Grimshaw, mae'n amlwg bod yna nifer sylweddol ar y campws sy ddim yn hapus gyda'r ffordd chi'n rheoli'r Brifysgol.

RG: Ddim o bell ffordd. Dim ond ychydig o bobl anfodlon sy'n erbyn ein polisïau. A dwi ddim am ymddiheuro am fod yn arweinydd cadarn. Sdim lle mewn prifysgol gyfoes ar gyfer prif weithredwyr sy'n wangalon ac yn trin pobl â chyllell a fforc. Busnes yw prifysgol. Busnes sy'n gorfod cystadlu yn erbyn busnesau eraill, a goroesi, a hynny mewn hinsawdd sy'n bell o fod yn braf.

Guto: Ond dyma yw cyhuddiad eich beirniaid – eich bod chi ddim yn gwneud digon i amddiffyn y Brifysgol yn erbyn bygythiadau o'r tu allan?

RG: Ond y ffordd orau – y ffordd fwya cyfrifol – o wneud 'nny yw ystyried cynnig y Gweinidog, ein bod ni'n uno â Phrifysgol Aberlethe, yn fanwl ac yn ddifrifol. Dwi ddim yn awgrymu am eiliad bod yr uno yn mynd i ddigwydd, ond allwn ni ddim fforddio anwybyddu dymuniad y Gweinidog – hi, yn y pen draw, sy'n dal i roi peth arian i'r Brifysgol.

Guto: Ofn llawer ar y campws, mae'n debyg, yw bod myfyrwyr yn colli ffydd yn y Brifysgol. Maen nhw'n meddwl y bydd gradd y Brifysgol yn cael ei dibrisio yn y dyfodol.

RG: 'Swn i'n gofyn iddyn nhw fod yn amyneddgar – a dwi'n galw ar y myfyrwyr i adael fy swyddfa ar unwaith a dychwelyd at ddulliau cyfreithlon o weithredu.

Heledd: Sut ych chi'n ymateb i'r gŵyn arall, bod eich brawd yn camreoli Adran Chwaraeon y Brifysgol?

RG: Dwi'n gwadu'r cyhuddiad hwnnw'n llwyr. Cafodd fy mrawd ei benodi – mewn proses hollol briodol a theg, gyda llaw – yn unswydd er mwyn codi safonau dysgu ac ymchwil mewn adran sy wedi tanberfformio. Mae'n wir fod nifer o staff wedi gadael yr Adran, ond rhaid tynnu pennau marw hen flodau – pobl sy heb wneud cyfraniad gwerthfawr i'r Brifysgol ers achau. Ei flaenoriaeth – fy mlaenoriaeth i – yw codi ansawdd. Er lles ein myfyrwyr bu'n rhaid gweithredu'n bendant ac yn gadarn.

J.O'D: Proses briodol a theg! Ma pawb yn gwbod i'ch brawd gipio'r swydd oherwydd ei gysylltiadau teuluol - ei berthynas 'da chi, Is-Ganghellor!

RG: Dyna beth gwarthus i'w ddweud! Gwarthus, a di-sail, ac enllibus...

Heledd: Jâms, oes tystiolaeth 'da chi i gefnogi'ch datganiad i'r Athro Gary Grimshaw gael ei benodi i swydd Pennaeth Adran am unrhyw reswm arall ar wahân i achos mai fe oedd yr ymgeisydd mwya addas i'r swydd?

J.O'D: Oes, fel mae'n digwydd. Tystiolaeth sy wedi dod i'r wyneb yn ddiweddar iawn. Ers inni feddiannu swyddfa'r Is-Ganghellor.

RG: Mae hyn yn annioddefol! Chi'n ceisio awgrymu bo chi wedi torri i mewn nid yn unig i'r swyddfeydd ond hefyd i ffeiliau swyddogol, cyfrinachol y Brifysgol? Os nad yw hynny'n dorri'r gyfraith, dwi ddim yn siŵr beth sy. Dwi ddim yn gweld pam y dylwn i aros yma i wrando ar y fath sothach...

Nodyn: mae RG yn codi o'r gadair ac yn camu o'r stiwdio yn sydyn.

Heledd: Wel, mae'n flin iawn 'da ni am hyn. Bydden ni wedi licio gofyn nifer o gwestiynau eraill i'r Athro Grimshaw am... Ond diolch i'r ddau ohonoch chi am eich sylwadau diddorol.

I ddod, pwy fydd y seleb Cymreig mawr nesaf? Aethon ni ar strydoedd Aberlethe i ofyn i bobl pwy fydd yn tynnu sylw'r cyhoedd. Dyma adroddiad arbennig gan Ned Williams...

18

Bwrdd gwag yng nghanol yr ystafell foel. Tri pherson yn eistedd ar hyd un ochr. Neb ar yr ochr arall, ond cadair wag a gwydriad unig o ddŵr.

Derbyniodd Menna wahoddiad i ymuno â'r panel cyfweld i benodi Pennaeth Cyfathrebu y Brifysgol. Deuai gwahoddiad o'r math o bryd i'w gilydd. Gwyddai pawb ei bod hi'n hynod brofiadol a chraff mewn cyfweliadau. Yn y gadair roedd Athro'r Ysgol Hanes ac Archeoleg, a'r trydydd cyfwelydd oedd Adelina Evans – byddai deiliad y swydd yn atebol iddi. Bu Adelina'n gyfaill i Menna am flynyddoedd, er nad oeddent yn agos yn ddiweddar. Gofidiai Menna drosti, yn arbennig ar adegau pryd roedd angen iddi wneud pethau annymunol dros ei meistri. Heddiw, roedd hi'n edrych yn straenllyd ac yn llwyd, sylwodd Menna.

'Swydd allweddol yw hon, wrth gwrs,' meddai'r cadeirydd, 'mae'n bwysig bod 'da ni rywun sy'n medru cyfleu ein negeseuon yn effeithiol. Neu, os bydd angen, palu celwyddau gydag awdurdod a hygrededd. Pwy ddywedodd am lysgennad, ei fod yn rhywun sy'n cael ei anfon dramor er mwyn dweud celwyddau dros ei wlad?'

Gwgodd Adelina Evans ato, a symudodd e yn ei flaen yn glou.

'Pawb yn fodlon gyda'r cwestiynau a'r drefn holi? Iawn? Os y'ch chi i gyd yn barod, fe welwn ni'r ymgeisydd cyntaf.'

Daeth dyn ifanc i mewn i'r ystafell, ysgwyd llaw ac eistedd i lawr yn hyderus. Gwisgai siwt frethyn tridarn, barf doreithiog, mwstás cyrliog a gwên fenthyg. Er bod barfau tebyg yn ddigon cyffredin yn nwyrain Llundain, meddyliodd Menna, prin byddai rhywun yn eu gweld yn Aberacheron. Pa fath o ddatganiad oedd y dyn ifanc yma'n ceisio ei wneud?

'Croeso i'r Brifysgol, Mr Dickens. Fyddech chi mor garedig â rhoi inni ddarlun cryno o'ch gwaith presennol?'

'Gyda phleser. Fi'n gweithio i gwmni cysylltiadau cyhoeddus yn Hoxton – yn Llundain? Black Cube yw'r enw? Ein *strapline* yw "Just imagine". Ni'n arbenigo yn y diwydiannau creadigol? Fy swydd i yw gweithio gyda chwmnïau teledu a'u helpu nhw i gael contractau – trwy werthu syniadau ar gyfer rhaglenni realiti? Teitl y swydd yw "Hwylusydd ac Ymgymerwr Ymgynghorol". Fy nghamp fwya hyd yma yw gwerthu cynnig ar gyfer cyfres o raglenni am fodels esgyrnog sy'n gorfod bwyta dim byd ond cyw iâr wedi'i ffrio a sglodion am fisoedd...'

Ac aeth e ymlaen trwy restr o gampau tebyg, gan derfynu bob yn ail frawddeg â goslef uchel, fel petai e'n gofyn cwestiwn.

'Diolch yn fawr,' meddai'r Athro, 'chi'n rhagweld bydd rhaid ichi newid eich ffordd o weithio o gwbl yma yn y Brifysgol?'

'Ddim yn y bôn. Wrth gwrs bod Aberacheron yn lle gwahanol i Lundain – mwy plwyfol, os liciech chi – llai soffistigedig. Ond sdim ots am hynny. Fi'n ffyddiog galla i berswadio bron pawb.'

'Felly, beth fyddai'ch neges,' meddai Menna, 'tasai angen ichi esbonio pam bod y Brifysgol heb wrthod cynnig y Gweinidog i uno â phrifysgol arall gyfagos?'

'A! Fe ddarllenais i ryw stori am 'nny ar Twitter. Wel, i ddechrau 'swn i'n tynnu sylw at y ffaith taw'r Gweinidog yw'r dyn sy'n penderfynu beth sy'n digwydd mewn prifysgol...'

'Ond dyw hynny ddim yn wir,' meddai Menna.

'O! Pam?'

'Achos mai sefydliad annibynnol yw'r Brifysgol hon. Does gan y Gweinidog ddim hawl i roi *orders* inni. A pheth arall: menyw yw ein Gweinidog, ddim dyn. Hoffech chi gynnig lein arall?'

'Wir? Er, wel, 'swn i'n esbonio ein bod ni o blaid uno mewn egwyddor, a bod rhaid edrych yn fanylach ar y manteision a'r anfanteision.'

'Ond fel mae'n digwydd,' meddai Adelina, 'dyw hynny ddim yn wir chwaith – ein bod ni o blaid yr uno mewn egwyddor.'

'O!'

Ar ôl chwarter awr o gwestiynau ac atebion tebyg cododd Mr Dickens o'i gadair, gollwng ochenaid fach, casglu ei bapurau a gadael yr ystafell.

Yr ail ymgeisydd oedd menyw ganol oed, Sioned Wyn Watkins. Atebodd hi'r cwestiynau mewn modd galluog a gwybodus. Erbyn nawr roedd aelodau'r panel yn gwrando'n astud ac yn eistedd yn gefnsyth. A oedden nhw wedi dod o hyd i'r ymgeisydd buddugol tybed? Ond wedyn daeth ei chyfle hi i holi. Fel rheol, un neu ddau o gwestiynau confensiynol oedd y rhain. Ond roedd gan Sioned ffrwd ddi-baid o gwestiynau mawr, lletchwith. Beth oedd diben yr Adran Cyfathrebu? Dweud y gwir a lledu newyddion, neu fod yn sianel i bropaganda'r awdurdodau? Beth oedd cyflwr y Brifysgol – ai negeseuon negyddol yn unig fyddai'n dod allan o'r Adran? Pa ddyfodol fyddai i'r Adran pe bai Aberacheron ac Aberlethe yn uno?

Atebwyd y cwestiynau fesul un, ond yn y diwedd dywedodd y cadeirydd,

'Fyddai'n bosib imi ofyn cwestiwn terfynol ichi, Ms Watkins?'

'Wrth gwrs.'

'Petaen ni'n cynnig y swydd ichi, fyddech chi'n ei derbyn?'

'Na fyddwn.'

'Diolch, Ms Watkins.'

'Wel,' meddai'r Athro, ar ôl iddi ymadael, 'mae'n ymddangos nad oes neb sy'n deilwng o'r swydd bwysig hon. Pawb yn gytûn? Adelina, sdim dewis ond ail-hysbysebu, oes e?'

'Cytuno,' meddai Adelina â golwg flinedig ar ei hwyneb. A dyna oedd diwedd y cyfweliad digalon. I Menna, oedd yn fenyw fflegmatig ei natur, gwastraff fu'r prynhawn – oni bai am yr adloniant anfwriadol a ddarparwyd gan yr ymgeiswyr – ond i Adelina roedd yn fwy nag anghyfleustra. A synhwyrodd Menna fod rhywbeth arall, mwy difrifol yn ei chnoi. Roedd ei hwyneb yn dangos arwyddion amlwg o ofid a phoendod, ac roedd cryn siglo yn ei dwylo.

'Adelina,' meddai Menna, wrth i'r ddwy ohonynt gerdded o'r ystafell, 'oes rhywbeth yn bod?'

'O Menna, diolch am ofyn. Oes, mae 'na rywbeth. Wel, rhywbeth ofnadw, i fod yn onest. Rhywbeth dwi heb ddweud wrth neb o'r blaen. Fyddet ti'n fodlon gwrando arna i? Byddai hynny'n gysur ac yn help mawr imi.'

'Wrth gwrs, Adelina.'

'Allen ni gwrdd fory? Bydda i ar y cwrt sboncen ddiwedd y prynhawn.'

'O'r gorau. Beth am inni gyfarfod yng nghaffi'r ganolfan chwaraeon?'

'Gwych. Tan fory...'

19

Mrs Edith Evans
Cartref Tawelfan
Heol y Fynwent
Pont Cocytus
AA12 4DF

Fflat 3
13 Cei Charon
Aberacheron
AA4 7CG

30 Tachwedd 2015

Annwyl Mam,

O'r diwedd, dwi'n cael hanner awr o lonyddwch i anfon gair. Dwi'n sylwi bod dwy flynedd yn gwmws wedi mynd heibio ers iti symud i Dawelfan. Mwy na 'nny, fel mae'n teimlo i fi. Dwi'n hiraethu o hyd am y dyddiau pan oedd y ddwy ohonon ni'n rhannu'r tŷ. Pan oedd popeth yn iawn, pan oeddet ti yn dy iawn bwyll.

Pam mod i'n sgrifennu atat ti? Wedi'r cyfan, elli di ddim darllen llythyrau erbyn hyn. Weithiau, pan fydda i'n dod i'r cartre, fyddi di ddim hyd yn oed yn nabod fy wyneb. Y tro diwetha, roedd rhaid imi dy atgoffa di o fy enw. Pam felly? Yn rhannol, achos dyna oedd dy arfer, flynyddoedd maith yn ôl, dwi'n cofio: sgrifennu llythyr bob wythnos at Mam-gu, yn ddeddfol. Ond y prif reswm yw bod neb arall 'da fi i rannu fy nheimladau. Ond, wrth gwrs, fyddi di ddim yn medru eu derbyn – oni bai bod un o dy ofalwyr yn darllen hwn iti, a bod dy feddwl ar y pryd yn digwydd bod yn glir.

Roeddet ti'n arfer dweud fy mod i'n briod i'r swydd, i'r Brifysgol. Hollol wir. Dros y blynyddau daeth sawl dyn posib i mewn i 'mywyd – ambell ferch hefyd – dod ac wedyn mynd. Neb wedi aros. Wn i ddim pam. Nerfusrwydd, neu ofn ymrwymo, siŵr o fod. Felly doedd dim byd amdani ond gweithio, a gweithio. A does neb sy'n gallu dweud mod i ddim wedi llwyddo. 'Beth yn y byd yw ystyr 'nny?' meddet ti, pan ges i swydd Prif Swyddog Gweithredu y Brifysgol. Ond mae'n swydd o bwys, Mam, o statws. Fe weithiais i'n galed i'w chyrraedd – a dwi'n gwneud y job yn dda.

Dyw gweithio i'r Brifysgol ddim yn fêl i gyd y dyddiau hyn. Ddim fel pan oeddet ti'n darlithio yn yr Adran Almaeneg flynyddau'n ôl. Weithiau does dim dewis ond dilyn fy orders *a gwneud pethau annymunol. Y cynllun gorau yw cadw eich pen i lawr a gobeithio am ddyddiau gwell.*

Ac wedyn, yn sydyn iawn, daeth golau llachar i oleuo fy mywyd. Cwympo mewn cariad. Dwli'n lân arno fe. Dwi'n cofio dweud wrthot ti: o'r diwedd o'n i wedi ffeindio rhywun arall oedd yn meddwl amdana i, rhywun o'n i'n teimlo'n angerddol amdano. Fel dy stori di am gyfarfod Dadi am y tro cynta.

Byddwn i'n codi yn y bore a meddwl, 'peth da yw bod yn fyw'. Byddai rhyw dân bach mewnol yn cadw fi'n gynnes trwy'r dydd. Wrth gwrs fod angen cadw'n dawel am y berthynas, am resymau da, ond mewn ffordd, ychwanegodd y dirgelwch hwnnw at fy hapusrwydd.

Ond daeth y cyfan i ben, yr un mor gyflym. Fe ddywedais i wrthot ti, ond mae'n siŵr dy fod wedi anghofio. Dyma fi 'nôl yn y dechrau, ar fy mhen fy hun. Mae'r graith yn dechrau gwella erbyn hyn, ond fe fydda i'n meddwl ddwywaith cyn cwympo mewn cariad 'da rhywun arall. Does dim dewis 'da fi nawr ond mynd 'nôl i'r gwaith a gwneud y gorau galla i. Cadw'n heini. Cadw fy mhen i lawr.

Dyna ddigon amdana i. Beth sy'n digwydd yn dy fywyd di? Yn dy ymennydd? Mae'n amhosib imi wybod, amhosib dychmygu. Wyt ti'n byw yn dy atgofion? Atgofion o amserau pell yn ôl, debyg iawn, cyn imi ddod i mewn i'r byd – amser pan oeddet ti a Dadi'n canlyn, 'nôl yn y saithdegau, pan oedd popeth yn iawn.

Ond dwi'n troi'n hiraethus a dagreuol. Ddim fel y fi go iawn o gwbl. Gobeithio dy fod di'n cadw'n dda, a bod y gofalwyr yn edrych ar dy ôl di'n iawn. Bydda i gyda ti mewn pythefnos. Bydda i'n siŵr o ddod â rhai o dy hoff fisgedi neu siocledi.

Llawer o gariad,
Adelina

20

Wedi troi a throi'r mater yn ei feddwl dros nos daeth Llŷr i'r casgliad bod ganddo ddim dewis ond wynebu'r Athro Clampitt â'r ffaith iddi gael ei gweld yn y Llyfrgell ar yr un noson y collodd Diocletian Jones ei fywyd.

Y broblem oedd nad oedd e'n nabod Patricia'n dda. Roedden nhw wedi bod ar rai o'r un pwyllgorau, ac wedi torri ambell air o bryd i'w gilydd, ond wrth reddf roedd e wedi tueddu i'w hosgoi o achos ei henw am fod yn ddidrugaredd. Yn y pen draw penderfynodd Llŷr ei thaclo ar ddiwedd seremoni bwysig ar y campws – agoriad swyddogol y Ganolfan Nanodechnoleg. Gwyddai y byddai pawb o bwys yn bresennol, gan gynnwys Patricia Clampitt, er ei bod hi wedi gadael cyfrin gyngor yr Is-Ganghellor.

Brysiodd Llŷr trwy'r glaw trwm, a chyrraedd yr adeilad newydd sbon yn gynnar. Croesawyd e gan aelodau ifainc o'r Adran Farchnata, pob un yn gwisgo sash oren, llachar dros ei ysgwydd ac yn cynnig bag bychan o nwyddau perthnasol, gan gynnwys nano-pin a nano-papur. Adeilad trawiadol, sinister ei olwg oedd cartref y Ganolfan newydd. Ar y tu allan, popeth yn goncrit gwyn a ffenestri mawr du, tywyll. Eisoes gosodwyd plac ar y wal wrth y brif fynedfa i ddathlu dyfarniad gwobr aur y Gymdeithas Goncrit i'r adeilad. Tu hwnt i'r drysau blaen ymestynnai atriwm enfawr i'r nenfwd ac ynddo 'gofodau dychmygu' lle roedd ymchwilwyr i fod i feithrin syniadau gwreiddiol trwy rannu eu meddyliau creadigol â phobl o dimau gwahanol. Er bod ystafelloedd unigol ar gael iddynt, y theori oedd na ddylen nhw aros ynddynt trwy'r dydd.

Aeth Llŷr a sawl ymwelydd arall i fyny yn y lifft gwydr, oedd â golygfeydd dros yr atriwm ar un ochr, a Bae Aberacheron ar y llall, a ddaeth â nhw ar amrantiad i lawr ucha'r adeilad. Doedd dim byd 'nano' am y lle yma – ystafell fawreddog, lle roedd rhesi o gadeiriau niferus a bwrdd ac arni boteli di-rif o win pefriol a thameidiau o fwyd danteithiol. Yn fuan roedd y lle dan ei sang a'r sŵn yn fyddarol. Gwelodd Llŷr fod Patricia Clampitt eisoes wedi cyrraedd.

Distawodd y dorf pan ddaeth grŵp o bwysigion trwy'r drws – yr Is-Ganghellor, Cyfarwyddwr y Ganolfan, a Syr Fredi Beddows, pennaeth Small Solutions Inc. Hwn oedd y cwmni oedd wedi arloesi mewn nanodechnoleg, gan dyfu o fod yn bartneriaeth dau ddyn mewn atig i fod yn gorfforaeth ryngwladol fawr (ond 'Small Solutions' oedd ei enw o hyd). Syr Fredi fu'r buddsoddwr mwyaf yn y ganolfan newydd.

Y cyntaf i siarad oedd yr Athro Grimshaw. Roedd hi'n amlwg i Llŷr o'r dechrau bod ei ddealltwriaeth o nanodechnoleg yn gyntefig iawn, a gadawyd i'r Cyfarwyddwr gynnig esboniad o'r dechnoleg newydd a'i photensial i newid y byd. Wedyn daeth tro Syr Fredi. Dyn tal, tenau oedd e, yn meddu ar y ddawn i hoelio unigolion yn y gynulleidfa â'i lygaid treiddgar a gwneud iddyn nhw deimlo'n anesmwyth.

'Bore da i chi i gyd, gyfeillion. Rwy'n falch iawn o fod yma heddiw, a hynny am ddau reswm. Yn un peth, allwn i ddim colli'r cyfle i fedyddio canolfan newydd sy'n dwyn fy enw [ton fach o chwerthin]. Ond hefyd hoffwn i achub ar y cyfle i ddweud stori wrthoch chi – yn enwedig wrth y bobl ifanc sy yma.

'Yn wahanol i chi, o'n i'n anobeithiol fel bachgen ysgol, a

gadawais i'r *gram* heb gymwysterau bron. Doedd dim gobaith o fynd ymlaen i'r chweched, heb sôn am y brifysgol. Ond gwyddwn i mod i ddim yn anneallus – a bod rhaid imi ffeindio fy ffordd yn y byd trwy fy ymdrechion fy hunan, heb grantiau, heb gymhorthdal. Sylweddolais i'n fuan taw compiwtars oedd y peth mawr nesa – compiwtars bach i'r cartre, ddim y peiriannau enfawr mewn cwmnïau a phrifysgolion ar y pryd. Dechreuais i werthu PCs gan gwmnïau eraill, trwy'r post. Cyn hir o'n i wedi casglu digon o arian i sefydlu cwmni gwneud peiriannau fy hunan. O fewn blwyddyn o'n i wedi gwerthu hanner miliwn ohonyn nhw, ac ar fy ffordd i wneud ffortiwn.

'Ond ddylech chi byth orffwys ar eich rhwyfau. Cyn pen dim dyma fi'n dweud wrtha i fy hun, "Beth yw'r sialens nesa? Ble mae'r cyfle i neud pethau newydd?" Fe welais i fod y rhyngrwyd yn ymledu trwy'r byd, a bod rhywbeth o'r enw'r We Fyd-eang yn tyfu'n glou. Felly symudais i mewn i fyd meddalwedd, a datglymu rhaglenni fyddai'n gweithio ar y rheini. Ac yn nes mlaen fi oedd un o'r cynta i weld potensial ffonau symudol i gysylltu â'r rhyngrwyd. Felly am gyfnod fuais i'n ennill miliynau o bunnoedd trwy werthu'r ffonau newydd. A dyna beth sy'n cyfri yn y byd yma, byd sy'n symud mor glou – bod yn effro i bob datblygiad, sicrhau taw chi fydd y cynta i'r felin – hynny yw, i'r farchnad, sydd wrth gwrs yn rheoli popeth.

'Sy'n dod â ni at nanodechnoleg. Eto, sylweddolais i fod rhywbeth mawr, newydd ar y gorwel, a dyma fi'n sefydlu cwmni bach iawn i ddechrau edrych ar bosibiliadau masnachol y dechnoleg newydd – mewn electroneg, meddygaeth a sawl maes arall. Ac unwaith eto, tyfodd y cwmni'n gyflym, ac erbyn hyn mae 'da ni ganghennau mewn ugain o wledydd ar draws y byd.

'Pam ydw i'n dweud hyn oll wrthoch chi? Wel, er mwyn ichi sylweddoli mor bwysig yw meddwl drostoch chi'ch hunan, bod yn driw i'ch gweledigaeth, a pheidio â gadael i neb sefyll yn eich ffordd. Peidiwch â bod yn ddibynnol ar bobl neu gyrff eraill. Byddwch yn amheus o lywodraethau a'r sector cyhoeddus: maen nhw'n llawn pobl ddi-glem, wastraffus. Cofiwch taw'r farchnad, a'r farchnad yn unig, yw'ch meistr. Peidiwch â thalu mwy o drethi na sydd angen, a pheidiwch â gadael i undebau llafur chwarae unrhyw ran yn eich busnes. Ac yn fwy na dim, peidiwch byth â theimlo cywilydd am wneud elw personol mawr o'ch busnesau. Cofiwch fod yr economi'n tyfu a'r gymdeithas yn datblygu dim ond trwy ymdrechion yr *entrepreneurs* – y bobl sy'n ddigon dewr i fentro a pheryglu eu harian er mwyn cyflawni'r hyn maen nhw'n credu ynddo.'

Eisteddodd Syr Fredi yn ei gadair, i dderbyn cymeradwyaeth frwd gan bawb yn yr ystafell bron (cadwodd Llŷr ei ddwylo wrth ei ochr). Diolchodd yr Is-Ganghellor i Syr Fredi am ei araith ysbrydoledig ac am ei gefnogaeth hael i'r ganolfan newydd. Roedd rhan ffurfiol yr achlysur ar ben. Symudwyd y cadeiriau o'r neilltu. Plymiodd y myfyrwyr yn syth ar y bwyd ar y bordydd yng nghefn yr ystafell, fel petaen nhw heb weld bwyd ers wythnos. Tyfodd sgrym fach o bobl o gwmpas Syr Fredi, yn ogystal â grwpiau llai o staff yn rhannu clecs y Brifysgol. Gwelodd Llŷr fod Patricia Clampitt yn amlwg yn osgoi cwmni'r Is-Ganghellor ac yn anelu am y drws.

'Patricia! Braf iawn eich gweld yma. Achlysur hapus iawn, ontife?'

'Llŷr! Helô. Hapus? Ie, am wni i.' Roedd Patricia'n gyndyn i gydnabod y gallai unrhyw un o fentrau Roger Grimshaw lwyddo.

'Oes munud 'da chi? Hoffwn i ofyn rhywbeth ichi.'

'Wel, iawn, os fydd e ddim yn cymryd mwy na munud…'

'Mae hynny'n dibynnu ar eich atebion.'

'Atebion i beth?'

'Wel, maddeuwch imi am gloddio yn y gorffennol, ond rwy'n dal i feddwl am farwolaeth y cyn-Is-Ganghellor.'

'Diocletian? Y ddamwain?'

'Pryd welsoch chi fe am y tro ola?'

'Dwi ddim yn cofio…'

'Dylech chi. Dwi ar ddeall ichi ei weld yn y Llyfrgell ychydig oriau cyn iddo golli ei fywyd.'

'Pwy sy'n dweud 'nny?'

'Un o'r myfyrwyr. Fe welodd hi chi'n dod i mewn i'r adeilad. Oddeutu naw o'r gloch y noson honno. Yn edrych am rywun, debyg iawn. Am yr Is-Ganghellor?'

'Pam fydden i'n chwilio amdano yn y Llyfrgell, lle cyhoeddus?'

'Gwell imi fod yn agored. Dwi'n edrych ar amgylchiadau ei farwolaeth, achos mod i'n amau taw llofruddiaeth oedd hi, yn hytrach na damwain. Doedd dim prinder o bobl oedd ddim yn hoffi'r dyn.'

'Ond does neb fyddai'n barod i'w ladd, does bosib.'

Syllodd Llŷr arni. Bu distawrwydd am foment, wrth i Patricia Clampitt feddwl beth i'w ddweud nesaf. Penderfynodd beidio â chuddio'r gwir. Neu o leiaf dyna oedd yr argraff roedd hi am ei roi.

'Do, fe es i mewn i'r Llyfrgell. Er mwyn cael gair gyda Diocletian. Dewisais i'r Llyfrgell er mwyn gwneud yn siŵr na allai golli ei dymer, yng nghanol yr holl fyfyrwyr. O'n i'n moyn trafod Grimshaw – sut oedd e'n ceisio troi Diocletian yn fy erbyn.'

'Roger Grimshaw? Pam ei fod e mor elyniaethus ichi?'

'Alla i ddim dweud mwy wrthoch chi am 'nny. Ond roedd Diocletian yn gefnogol iawn. Roedd e'n ymwybodol o gynllwynion Grimshaw. Sicrhaodd fi na fyddai dim byd drwg yn digwydd imi tra oedd e wrth y llyw.'

'Wela i. Felly, yn syth ar ôl i Grimshaw ddod i rym, ar ôl y "ddamwain", fe golloch chi eich swydd.'

'Do. Ond yn amlwg doedd gen i ddim cymhelliad i wneud unrhyw ddrwg i Diocletian. I'r gwrthwyneb. Ta waeth, o'n i yn y theatr, gyda fy ngŵr, pan fuodd e farw. Sioc ofnadw oedd y newyddion gwpwl o oriau wedyn – a sylweddolais i'n syth na fyddai dim byd yr un peth wedyn. Roedd fy lle yn y Brifysgol dan fygythiad, gallwn i weld.'

'Diolch, Patricia, am siarad mor blaen. Yn amlwg dwi wedi gwneud cam â chi. Maddeuwch imi. Ond byddwch chi'n deall sut dwi'n gorfod ymchwilio pob posibilrwydd, er mwyn profi mai damwain oedd marwolaeth yr Athro Jones, nid llofruddiaeth.'

Roedd golwg deimladwy ar yr Athro Clampitt, fel petai hi ar fin beichio wylo – yn wahanol iawn i'w delwedd arferol yn y Brifysgol – a rhuthrodd hi trwy'r drws ac allan o'r adeilad heb ddweud gair pellach.

Safai Llŷr am eiliad, gan droi cynnwys y sgwrs yn ei feddwl. Trwy gil ei lygad gallai weld Syr Fredi yn gosod ei hun o flaen ffotograffydd. Y tu ôl iddo roedd poster yn hysbysebu'r Ganolfan newydd, ac roedd rhai o ferched siapus Marchnata gyda'u sashys oren yn ei amgylchynu, yn pawennu ei ysgwyddau ac yn glaswenu ar y camera. Gwenai Syr Fredi hefyd, gan edrych ymlaen i'r pryd bwyd moethus o'i flaen.

21

Doedd Menna ddim yn hoff o chwaraeon. A dweud y gwir, roedd yn gas ganddi gymryd rhan mewn gêm o unrhyw fath ers ei dyddiau ysgol. Doedd gwylio chwaraeon fawr gwell fel profiad. Rhywbeth i bobl anaeddfed, blentynnaidd – dyna oedd ei dehongliad o chwaraeon yn gyffredinol. Un o'r sawl peth na allai hi byth ddeall am yr un Is-Ganghellor oedd eu brwdfrydedd dros werth chwaraeon i'r sefydliad ac i enaid dyn.

Ond y bore yma gwnaeth hi bwynt o gyrraedd y cyrtiau sboncen hanner awr cyn ei chyfarfod ag Adelina Evans. Y lleoliad oedd bloc concrit, hyll mewn cornel anghofiedig o'r campws. Petai'r awdurdodau yn ymwybodol o'r lle, bydden nhw wedi llenwi'r adeilad â beiciau ymarfer neu waliau dringo, oherwydd mai carfan fach o staff a myfyrwyr y Brifysgol oedd yn dal i chwarae sboncen.

Yn syth ar ôl i Menna agor y prif ddrws daeth sŵn ymdrechion corfforol eithafol at ei chlustiau, a gallai glywed aroglau chwys dynol a rwber o'r peli sboncen a'r esgidiau. Ar Gwrt 1 roedd Adelina'n chwarae yn erbyn merch arall, oedd yn iau na hi: merch denau ac ystwyth, a'i gwallt wedi'i glymu mewn cwlwm ar gefn ei phen. Safai Menna'n dawel, yn syllu trwy'r wal wydr yng nghefn y cwrt ac yn rhyfeddu at lymder eu symud a chyflymder y bêl. Ar yr olwg gyntaf, roedd y ddwy'n weddol gyfartal o ran sgil ac egni, ond sylwodd Menna fod cryfder y ferch arall yn dechrau dweud wrth i'r gêm fynd yn ei blaen. Ond ddangosodd Adelina ddim arwydd ei bod yn syrthio y tu ôl i'r ferch. Roedd hi'n barod i'w llongyfarch ar ennill pwynt ar ôl rhyw ergyd ragorol.

Fel arall oedd hi yng Nghwrt 2. Cerddodd Menna ar hyd y córidor i weld pwy oedd yna. Dau ddyn. Adnabu Menna'r hynaf: Dylan Quigley, Athro Peirianneg Gemegol, un o hoelion wyth y Brifysgol. Darlithydd ifanc oedd y llall – doedd Menna ddim yn gyfarwydd ag e – ac roedd hi'n amlwg ar unwaith mai ef oedd yn ennill y frwydr. Er bod Quigley yn chwaraewr sboncen profiadol, o leiaf yn llygaid Menna, roedd mawr angen colli pwysau arno. Roedd ei wyneb mor llachar â'r Ddraig Goch. Bob tro y bwriodd y bêl â'i raced byddai'n rhyddhau gwaedd ddychrynllyd a atseiniai o amgylch yr holl adeilad, digon i rewi gwaed unrhyw un oedd yn digwydd pasio. Roedd y dyn arall yn gwbl dawel.

Pitw oedd gwybodaeth Menna am reolau a thactegau sboncen, ond gwyddai un peth: yr allwedd i ennill gêm oedd meistroli canol y cwrt, a gorfodi eich gwrthwynebydd i ddilyn y bêl i'r pedair cornel a gwastraffu ei nerth yn y broses. Sylwodd fod y darlithydd ifanc yn sefyll, mwy neu lai yn stond, yn y canol, ac yn thwacio'r bêl yn ddiymdrech, fel y glaniodd hi'n dawel mewn cornel yn y cefn ac yn farw. Bu'n rhaid i Quigley, ar y llaw arall, lusgo ei gorff mawr ar draws y cwrt a cheisio datgladdu'r bêl a'i dychwelyd yn lletchwith i'r wal gyferbyn, cyn carlamu'n drwm i'r gornel arall yn syth ar ôl i'r darlithydd roi pwniad awdurdodol i'r bêl. Ar ôl pum munud doedd dim diferyn i'w weld ar wyneb y dyn ifanc, ond dechreuai llawr y cwrt droi'n llithrig wrth i raeadrau o chwys lifo oddi ar gorff Quigley.

Cyn pen dim y sgôr oedd, Dyn Ifanc 6, Yr Athro Quigley 0. Roedd tymheredd Quigley, sylwodd Menna, yn codi dipyn eto ar ddiwedd pob pwynt. Erbyn y seithfed pwynt (a gollwyd eto) roedd yn berwi. Daeth llif o eiriau o'i wefusau.

'Bastard! Bastard!'

Ato ef ei hun roedd e'n cyfeirio.

'Pa fath o ergyd oedd honno? Rwtsh llwyr. Pathetig! Gallai plentyn dwy oed chwarae'n well.'

At ei ergyd ddiwethaf roedd e'n cyfeirio.

'Beth yw'r pwynt cario mlaen fel hyn? Pam ar y ddaear ydw i'n rhoi fy hun trwy'r artaith hon bob wythnos?'

Cwestiynau hollol rethregol oedd y rhain. Doedd e ddim yn disgwyl ateb oddi wrth y dyn ifanc, oedd yn plygu'n hamddenol yn erbyn y wal gyferbyn, gan ddiystyru'r cyfan.

Yn raddol llwyddodd Quigley i adennill rheolaeth ar ei dymer, a rhywsut daeth y gêm i ben heb fwy o drafferth. Ond dilynodd y gêm nesaf yr un hynt â'i rhagflaenydd, ac roedd y dyn ifanc ar fin ennill eto. Codai tymheredd Quigley i'r un gwres peryglus. Y pwynt olaf. Gweinodd y dyn ifanc y bêl. Waldiodd Quigley hi'n ffyrnig. Parhaodd y chwarae nes bod y dyn ifanc yn rhoi lob perffaith i'r bêl. Syrthiodd hi mewn cornel letchwith ar flaen y cwrt. Gydag ymdrech arallfydol lansiodd Quigley ei gorff i'r gornel, ond roedd y bêl wedi hen farw. Ffrwydrodd. Hyrddiodd ei raced yn dreisgar yn erbyn y wal goncrid. Chwalodd y raced yn deilchion. Fflachiodd darnau o blastig o amgylch y cwrt, a gollyngodd y llinynnau'n llac i'r llawr. Gorweddai corff Quigley wyneb i waered ac yn ddisymud ar y llawr pren am funud. Llifai ffrwd fain o waed i lawr ei goes chwith. Yn sydyn safodd ar ei draed. Cerddodd tuag at ei wrthwynebydd. 'Jolly good, well played,' meddai, gan ysgwyd llaw y dyn ifanc, oedd yn amlwg wedi gweld yr olygfa hon o'r blaen. Camodd Quigley allan i'r ystafell newid cyn bod cyfle i'r llall ddweud dim, yn gwthio ei ffordd heibio i Menna bron heb sylwi ei bod hi yna.

Dychwelodd Menna at Gwrt 1. Roedd y gêm honno wedi

dod i ben, a chyn hir roedd Adelina'n camu tuag ati. Yn y caffi prynodd Menna ddau goffi iddynt. Gallai weld bod llaw chwith Adelina'n crynu ychydig wrth dderbyn ei chwpan a soser.

'Enillaist ti?'

'Naddo, yn anffodus – ond sdim ots, ces i ddigon o ymarfer corff, a bwrw tipyn o rwystredigaeth y gwaith!'

'Dwi'n nabod y teimlad. Ond mae 'da fi ffyrdd gwahanol o gadw fy hun yn gall. Ffyrdd llai iachus, dwi'n cydnabod. Ond ti'n llwyddo i gadw dy ben uwch y tonnau?'

'Wel, i raddau. Ond o'n i'n moyn cael gair 'da ti am un peth yn arbennig sy wedi bod yn ben tost i fi ers sbel. A ti yw'r unig un sy'n gallu helpu, dwi'n meddwl.'

'Adelina, ni'n nabod ein gilydd ers ugain mlynedd. Ti'n gwbod mod i'n barod i wrando bob amser, a cheisio rhoi help iti os galla i.'

'Diolch, Menna. Dylwn i fod wedi dod atat ti cyn nawr. Mae hyn wedi bod yn pwyso ar fy meddwl ers wythnosau – byth ers i Llŷr fy ngweld i'n cael ffrae gyhoeddus ar y campws. O'n i'n siŵr y byddai Llŷr wedi rhannu'r wybodaeth gyda ti, achos bod pawb yn gwbod bod y ddau ohonoch chi'n ymchwilio i farwolaeth Diocletian. Mae pawb yn gwbod bo chi'n chwilio am bobol amheus allai fod yn gyfrifol am ei farwolaeth. Dwi moyn dweud wrthot ti beth fi'n gwbod.'

'Adelina, does dim rheswm iti boeni. Ni'n gwbod pwy oedd y dyn – Gareth Price. Fe wnaeth Llŷr ei nabod bron ar unwaith. Aeth y ddau ohonon ni i'w gyfweld, achos ei fod ar ein rhestr o bobl oedd â rheswm da i ddymuno'n ddrwg i'r Is-Ganghellor. Ond erbyn hyn dyw e ddim ar y rhestr.'

'O Menna, ti sawl cam o mlaen i! Diolch byth am 'nny! Roedd Gareth yn gandryll achos o'n i wedi addo dweud wrth yr Is-Ganghellor ei fod yn bygwth dial ar Deio. Ond mae 'na rywbeth arall – rhywbeth dwyt ti ddim yn ei wbod – eto. A dwi eisiau bod yn onest am hynny hefyd.'

'Does dim rhaid iti – oni bai ei fod yn berthnasol.'

'Ydy, yn gwbl berthnasol, mae arna i ofn! A ti'n bownd o glywed y stori yn hwyr neu'n hwyrach, felly man a man imi siarad nawr.

'Roedd Diocletian a fi'n cael affêr.'

'Adelina! Does bosib! Dyn fel hwnna!'

'Dwyt ti ddim yn deall, Menna. Roedd e'n ymddangos yn wynebgaled yn gyhoeddus, o bosib. Ond yn breifat roedd e'n ddyn arall – yn garedig, hynaws, cariadus. Wna i ddim manylu. Byddi di'n chwerthin, siŵr o fod, o glywed sut ddechreuodd y cyfan – roedd mor ystrydebol. Roedd priodas Diocletian yn chwalu. Neb yn ei ddeall, pawb yn ei erbyn. Ceisiais i gynnig help a gobaith iddo fe. Daeth y ddau ohonon ni'n agos – dechrau gweld ein gilydd tu allan i'r swyddfa. Bydden ni'n cwrdd yn hwyr y nos – roedd e'n arfer gweithio ar ei ymchwil, weithiau yn y Llyfrgell – a mwynhau cwpwl o oriau yng nghwmni'n gilydd. Hoffwn i feddwl mod i'n deall Deio'n dda, a llwyddodd e i ffeindio rhyw gysur a phleser yn fy nghwmni i.'

'A does neb arall yn gwbod am hyn?'

'Hyd y gwn i. Ond alla i ddim bod yn siŵr. A dyna pam dwi wedi datgelu popeth i ti, Menna, achos mae'n debyg y byddi di'n clywed si rhywbryd. Ond – a dyma fi'n dod at fy mhrif bwynt – dwi ddim am i ti a Llŷr feddwl am eiliad bod 'da fi unrhyw beth i'w wneud â marwolaeth Deio. Ces i sioc ofnadwy – damwain ddychrynllyd. Ie, damwain oedd hi, yn bendant, yn fy marn i, cyn dy fod ti'n gofyn. Dwi'n gwbod bod nifer o elynion gan Deio, ond doedd neb, hyd yn oed Gareth Price, yn ddigon atgas tuag ato fe i gynllunio diwedd marwol iddo.'

'Wel, dwi ddim yn hollol siŵr am 'nny, Adelina. Ffeindion ni fod Gareth o fewn trwch blewyn o wneud rhywbeth annoeth. Ond wnest ti erioed – o ddifri – glywed unrhyw un yn siarad am gael gwared arno fe?'

'Erioed. A fyddai Deio byth yn sôn am y bobl oedd yn ei erbyn. A dweud y gwir, ein harfer oedd peidio â siarad am waith o gwbl yn ein hamser y tu fas i'r Brifysgol, ond am bethau fel barddoniaeth a miwsig a ffilmiau. Roedd e'n ddyn diwylliedig iawn, ti'n deall? Llenyddiaeth Sbaeneg oedd ei faes ymchwil. Yn ei fisoedd olaf roedd e wedi magu diddordeb mawr yn nramâu Federico García Lorca. Roedd e'n gweithio'n galed iawn ar erthygl – dehongliad gwreiddiol iawn o ddiweddglo *La casa de Bernarda Alba*. O, am golled i'r byd academaidd! Ac i mi!

'Unwaith yn unig o'n i'n ddigon annoeth i gymysgu gwaith a phleser. Awgrymais ei fod yn mynd â fi i ymweld â champws newydd y Brifysgol yn Indonesia. Fe wnaeth e wylltio, gan ddweud bod hynny'n hollol amhosib. Feiddiais i ddim codi'r mater eto. Ond fel arfer roedd ein perthynas yn bell o fod yn anodd – am y tro cynta yn fy mywyd, er bod rhaid cadw'r cyfan yn gyfrinach, teimlais mod i'n gallu mynegi fy nheimladau heb rwystr, dangos cariad – a derbyn cariad yn ôl.'

'Adelina, rhaid dy fod ti wedi mynd trwy uffern yn ddiweddar. Dwi wir yn teimlo drosot ti. Ac yn wirioneddol falch dy fod ti wedi ymddiried yn'o i. Beth am gwrdd eto i drafod?'

'Diolch, Menna, am fod mor amyneddgar. Ti ddim yn gwbod faint mae arllwys fy nghalon wrthot ti'n golygu imi.'

'Croeso – rho alwad imi cyn hir.'

'Diolch. A, Menna, byddwn i'n hapus iawn iti rannu'r holl wybodaeth yma gyda Llŷr – ond neb arall, cofia.'

THEATR ASFFODEL ABERLETHE

Gwahoddir chi i noson agoriadol
y cynhyrchiad cyntaf yn Gymraeg o

Tŷ Bernada Alba

gan

Federico García Lorca
Cyfarwyddwraig: Jo Gwenhwyfer
Cyfieithydd: Su Iorwerth
Dydd Gwener 8 Ionawr 2016 am 7:30pm

Dyma ddrama olaf Lorca, a gwblhaodd ddau fis cyn cael ei lofruddio gan Ffasgwyr Franco: drama am deimladau nwydus a gorthrwm mewn teulu o ferched. Fel dyn hoyw gallai Lorca weld yn glir y patrymau patriarchaidd – a matriarchaidd – oedd yn gwenwyno cymdeithas Sbaen ar y pryd. Bydd Tŷ Bernarda Alba *yn siŵr o gydio ynddoch, hyd at y diweddglo arswydus, hunanddinistriol.*
(Jo Gwenhwyfer)

23

Prynhawn Sadwrn yn Stadiwm Erebus. Ers i Ddinas Aberacheron ddisgyn yn ddiurddas o'r Uwch Gynghrair ddwy flynedd ynghynt, fu fawr o awydd ar Llŷr i fynd i gefnogi'r tîm bob yn ail wythnos. Ond am resymau sentimental cadwodd ei docyn tymor, ac o bryd i'w gilydd byddai'n ymlusgo i'r Stadiwm i wylio mewn distawrwydd wrth i'r bois golli gêm bêl-droed arall yn erbyn tîm di-fflach yn y Gynghrair.

Fel arfer, ar ôl torri gair â chefnogwyr eraill o'r Brifysgol, a dadansoddi gobeithion Dinas Aberacheron mewn manylder pedantaidd, byddai Llŷr yn eistedd gyda hen ffrind ysgol. Ond ni allai hwnnw ddod y tro yma, ac felly roedd wedi cynnig ei docyn i Llŷr. Anfonodd Llŷr y tocyn at Gene Drinkwater, gan ddweud y byddai'n croesawu ei gwmni'n fawr iawn.

Felly dyma'r ddau griminolegydd yn eistedd wrth i Dinas ac Annwfn United ddod ar y cae. Mewn un pen, gwnâi *cheerleaders* droelliadau, birwetau a chwyrliadau, gan geisio codi calon y dorf a pheidio â chrynu yn yr oerfel a'r glaw. Saethai fflamau melyn yn uchel i'r awyr, ac o'r system sain ffrwydrodd anthem fyddarol, mewn ymgais i roi'r argraff bod rhywbeth mawreddog ar fin digwydd, yn hytrach na sioe ddiflas arall o anfedrusrwydd.

Hwn oedd y tro cyntaf i Eugene fod mewn gêm pêl-droed. Roedd y paratoadau'n ddigon cyfarwydd iddo – wedi'r cyfan, arferion wedi'u mewnforio o America oedden nhw – ond unwaith bod y gêm ar droed dechreuodd golli ei ffordd, a gofyn pob math o gwestiynau i Llŷr. Pam bod 'soccer' yn gêm mor brin o gyffro a gwrthdaro corfforol? (Meddwl yr oedd am ffwtbol Americanaidd.) Allai Llŷr esbonio'r rheol gamsefyll iddo? A oedd disgwyl iddo ganu caneuon anweddus? Pam ei bod hi mor anodd i sgorio goliau?

Bron ar unwaith roedd Dinas mewn trybini. O fewn pum munud sylwodd y dyfarnwr ar un o'u blaenwyr yn hacio prif saethwr United i'r llawr ag ergyd dreisgar. Gorweddai hwnnw gan ddal ei goes yn yr awyr, achwyn yn uchel a gwneud ystumiau theatrig. Cic gosb o'r smotyn. Gôl! (Plymiodd gôl-geidwad Aberacheron i'r cyfeiriad anghywir.) 0:1 i Annwfn. 'Wff! Wff! Wff!' gwaeddodd cefnogwyr United yn orfoleddus. Yn fuan wedyn aeth pethau o ddrwg i waeth. Gwersyllai chwaraewyr United yn hanner Aberacheron y cae, a bu'n rhaid i'r tîm cartref amddiffyn yn gyson. Ond yn ofer. Dawnsiodd saethwr Annwfn heibio i bedwar o amddiffynwyr Aberacheron, a thapio'r bêl yn ysgafn i gefn y rhwyd. 0:2 i United. Atseiniodd 'Wff! Wff! Wff!' yn fygythiol o uchel o amgylch y Stadiwm. Roedd Aberacheron yn lwcus bod dim ychwanegiad i'r sgôr cyn i'r dyfarnwr chwibanu ar ddiwedd yr hanner. Wrth i'r chwaraewyr adael y cae a rhedeg i ddiogelwch yr allanfa dechreuodd cefnogwyr Aberacheron, oedd wedi bod yn gwbl ddistaw trwy'r hanner cyntaf, ar gorws dirmygus o fwio.

Syllodd Llŷr ar yr hysbyseb fawr yn hongian yn llipa o'r stand ar ochr arall y stadiwm. 'Mae Prifysgol Aberacheron yn falch o noddi Dinas: dau dîm digymar!' meddai. Un o fuddsoddiadau gwaethaf y Brifysgol, meddyliodd Llŷr, a gosodiad oedd, yn ôl pob tebyg, yn torri'r gyfraith am ei fod yn bell o fod yn wir.

'Ai dyna berfformiad arferol Dinas Aberacheron?' gofynnodd Eugene.

Ddaeth dim ateb gan Llŷr; roedd ei ben mewn cwmwl o

ddiflastod. Ond cyn ei fod e'n gallu dweud gair, daeth llais croch o'r tu cefn iddynt. Dylan Quigley oedd yn anelu atyn nhw, fel draig â'i ffroenau ar dân.

'Hoi, Meredydd! O'n i'n meddwl taw ti oedd e, yn dy het wlân hynafol. Am berfformiad! Am ffars! 'Swn i'n saethu pob un aelod o'r tîm – a'r rheolwr – yn syth bin!'

'Ar unwaith, heb brawf? 'Swn i ddim yn argymell 'nny, Dylan. Pwy wedyn fyddai'n dod allan o'r twnnel i chwarae yn yr ail hanner?'

'Gallai dosbarth o blant ysgol gynradd wneud yn well na'r criw di-glem 'na – pob un yn bwdryn diwerth. Ac yn erbyn Annwfn, 'fyd, y tîm ar waelod y gynghrair! Wel, beth fyddet ti'n wneud, 'te?'

'Wel, 'swn i'n sgidiau Gary Evans, 'swn i'n cael gair bach gyda'r bois yn y stafell wisgo, a gofyn iddyn nhw geisio rhywbeth newydd yn yr ail hanner – ac wrth gwrs, gwella'r ffordd maen nhw'n chwarae...'

'Gair bach? *Bollocking* yw'r unig air addas, on'd ife?'

Gallai Llŷr weld na fyddai canlyniad hapus i'r sgwrs hon. Ceisiodd dynnu sylw Quigley oddi ar bêl-droed:

'Dylan, beth sy wedi digwydd i dy wyneb? Dyna glamp o glais dan dy lygad chwith. Trais yn y cartre, 'swn i'n amau. Ydy Hywel wedi bod yn dy glatsho di 'to?'

Hywel oedd gŵr Dylan Quigley, dyn addfwyn iawn na fyddai'n breuddwydio anafu gwybedyn. Gwir amheuaeth Llŷr oedd i Quigley fod ar y cwrt sboncen eto: roedd ei glwyfau hunanachosedig a'i byliau o dymer drwg yn dra chyfarwydd yn y Brifysgol. A byddai Quigley yn gwybod bod Llŷr yn gwybod...

'O, dim ond damwain fach. Man a man imi fynd 'nôl i'm sedd...'

Gyda hynny diflannodd Dylan Quigley i gefn y stadiwm. Trodd Llŷr at Eugene, a oedd wedi dilyn y sgwrs â gwên fach ar ei wyneb. Nawr roedd cyfle i Llŷr ofyn y cwestiwn roedd e wedi bwriadu ei ofyn ers gwahodd Eugene i ymuno ag e yn y gêm. Doedd e ddim yn siŵr sut i godi'r mater, ond yn ffodus, Eugene oedd y cyntaf i sôn am farwolaeth yr Is-Ganghellor cynt.

'Sôn am wneud pethau twp, wyt ti'n dal i ymchwilio i'r diweddar Diocletian Jones, Llŷr? Wedi dod i unrhyw gasgliadau 'to? Clywais i fod Menna a tithau'n chwarae gêm o Cliwdo, neu wedi landio rhannau mewn ffilm gomedi gan Billy Wilder – fel Sherlock Holmes a Dr Watson. Ti'n dal i feddwl bod rhyw loerigyn wedi llofruddio'r dyn – yn y llyfrgell gyda pheipen blwm?'

'Mae'n iawn iti wneud sbort am fy mhen, Gene, am redeg ar ôl rhith. Ond fyddai hynny ddim yn amhosib. Cofia, roedd gan nifer o bobl ddigon o reswm i ddymuno diwedd sydyn iddo fe. Roedd e wedi casglu byddin o elynion dros y blynyddoedd. Ti, er enghraifft.'

'Fi? Fi? Ti ddim yn awgrymu o ddifri taw fi yw'r llofrudd?'

'Wel, rhaid iti gyfadde dy fod di wedi dweud rhai pethau ymfflamychol am yr Is-Ganghellor. Dwi'n cofio iti ddefnyddio'r gair "seicopath" amdano fe. A "bastard". Ac fe wylltiais di'n lân yn y cyfarfod pan–'

'Iawn. Ond roedd y dyn yn amhosib. Byddai unrhyw un gydag owns o hunan-barch wedi dweud yr un pethau â fi. Ond 'swn i byth yn mynd mor bell â llofruddio'r dihiryn.'

'Wel, dwyt ti ddim yn anghyfarwydd ag ymladd a chyffio.'

'Pan o'n i'n ifanc, falle, ac yn America, lle mae trais yn rhan naturiol o sgwrs bob dydd. Ond ti'n nabod fi'n well na 'nny, Llŷr. Eniwe, mae 'da fi *alibi*.'

'Alibi?'

'O'n i dros ddau gan milltir i ffwrdd o leoliad y "llofruddiaeth" – yn Llundain, mewn cynhadledd ddau ddiwrnod. Ces i wahoddiad gan y Swyddfa Gartre i siarad am, ym, droseddwyr treisgar. Gall rhyw saith deg o bobl eraill dystio mod i yna trwy'r digwyddiad cyfan.'

'OK, Gene. 'Na'i gyd o'n i'n moyn gwneud oedd dy ddiystyru o'r ymchwiliad. Nid fy mod i *wir* yn amau dy fod di...'

'Ti'n siarad fel ditectif go iawn nawr, Llŷr. "Diystyru o'r ymchwiliad". Ond ti ddim yn meddwl bod yr amser wedi dod i roi'r nofel hon o'r neilltu a mynd 'nôl i gwblhau dy lyfr go iawn...?'

'Bosib iawn, Gene.'

'... a derbyn taw damwain oedd hi yn y llyfrgell. Byddai'n llawer gwell taset ti'n troi dy sylw at yr Is-Ganghellor newydd. Mae e, yn ôl pob tebyg, yn gymaint o fygythiad inni â'i ragflaenydd.'

'Debyg iawn. Debyg iawn.'

Syrthiodd Llŷr 'nôl i bwl o fewnsyllu. Ond torrodd y dorf ar draws ei feddyliau. Roedd y ddau dîm yn dod 'nôl i'r cae. Gallai cefnogwyr United synhwyro buddugoliaeth rwydd, a llawer mwy o goliau yn yr ail hanner. Gan fod llai i'w ddweud gan ffans Aberacheron, fodlonon nhw ar daflu geiriau sarhaus ar draws y ffens drwchus a gadwai'r ddwy garfan ar wahân.

Yn amlwg roedd rheolwr y tîm cartref wedi gwrando ar gyngor Llŷr yn ystod yr egwyl a 'chael gair gyda'r bois'. Roedd egni ac awch newydd yng nghoesau'r chwaraewyr. Lansion nhw gyfres o ymosodiadau grymus ar gôl Annwfn. Yn y diwedd agorodd twll yn amddiffyniad United, a sgoriodd Otis Adaloye, saethwr o Senegal oedd newydd ymuno ag Aberacheron, gôl grefftus. Daeth bloedd oddi wrth gefnogwyr

Dinas: 'O-TIS! O-TIS!'. Ni wnaeth Llŷr ymuno â nhw: roedd e wedi gweld gormod o wawriau cyfeiliornus o'r blaen. Ond ddeng munud yn ddiweddarach daeth pas i mewn o'r ochr chwith at Adaloye yng nghanol y cae. Gwibiodd ei draed yn chwim heibio i dri o'r amddiffynwyr cyn saethu'r bêl i ben pellaf y rhwyd, nes nad oedd gan y gôl-geidwad unrhyw obaith o'i hatal. Ffrwydrodd y dorf. 'Wff! Wff! Wff!' oedd y gri, mewn dynwarediad gwatwarus o siant cefnogwyr Annwfn. Y tro yma cododd Llŷr ar ei draed a thaflu ei freichiau i'r awyr. Cododd Eugene ael, am y tro cyntaf yn y gêm.

Ymladdodd United yn ôl a chryfhau ei amddiffyniad. Roedd yr ornest yn ymlithro tuag at gêm gyfartal, debyg iawn. Dechreuodd rhai o'r dorf anelu am yr allanfa. Ond yn sydyn iawn sglefriodd capten Annwfn ar draws ei gwrt cosbi a dal coesau Adaloye mewn siswrn poenus, gan ei lorio wrth iddo baratoi i guro'r bêl. Chwiban uchel. Pwyntiodd y dyfarnwr at y smotyn. Pan ddaeth Ifan Jones i gymryd y gic, roedd y dorf yn llawn cyffro. Bu Ifan yn y tîm ers cyn iddo godi i'r Uwch Gynghrair. Dringodd trwy academi'r clwb, ac roedd e'n dal i fyw mewn tŷ teras yng nghanol y dref, yn wahanol i'w gyd-aelodau a drigai mewn plastai mawrion yn y wlad â garejis enfawr a sawl pwll nofio. Distawodd y cefnogwyr. Rhodiodd yn hamddenol at y bêl a'i mwytho heibio i ddwylo estynedig y gôl-geidwad. Ar unwaith chwibanodd y dyfarnwr eto, i nodi diwedd y gêm. Roedd cefnogwyr Aberacheron yn ferw gwyllt, selogion United mor dawel â'r bedd.

3:2 i'r tîm cartref. Prin y gallai rhywun gredu'r sgôr derfynol. Oddi tanynt daeth Gary Evans o'i fyncer i'r cae, gan bwnio'r awyr â'i ddyrnau, cyn ysgwyd dwylo rheolwr United a churo ei gefn yn nawddoglyd. Roedd ei swydd fel rheolwr yn ddiogel, o leiaf am wythnos arall. Brasgamodd ffigwr arall ar hyd ymyl y cae, dan annog y dorf i ganu. Serberws oedd hwn, masgot y clwb: mastiff â phen mawr a dannedd miniog, oedd i fod i godi arswyd ar gefnogwyr y tîm arall a chodi hwyl dilynwyr Dinas. Oddi mewn i'r wisg drom cuddiai dyn bach, chwyslyd o'r enw Gilbert – doedd neb yn cofio ei gyfenw – fu'n dwyn rôl Serberws ers rhyw ddeugain mlynedd. Ar yr un pryd dihunodd y system sain, a rholiodd 'Yma o Hyd' o amgylch y stadiwm.

Eugene oedd yr unig un oedd yn dal i grafu ei ben am y gêm:

'Beth oedd o'i le gyda'r dacl olaf 'na, Llŷr? Rhyfeddod o beth. Liciwn i ei gweld hi eto, mewn *slo-mo*. Rhaid imi ddweud, dwi wedi cael blas ar y pêl-droed 'ma. Fydd y gêm ar y teledu? Beth yw enw'r rhaglen – *Match of the Day*? Gyda llaw, pryd mae'r gêm gartre nesa?'

Ond doedd Llŷr ddim yn gwrando. Am y tro cyntaf ers misoedd, wrth adael Stadiwm Erebus, teimlodd ei fod mewn hwyliau da. Roedd pethau'n gwella.

24

Golau gwan yn llifo trwy'r llenni. Teulu estynedig o adar y to'n trydar o'r llwyn tu allan yn yr ardd. Dim ceir i'w clywed, dim ond ambell redwraig gynnar yn loncian ar hyd y pafinau gwlyb. Gorweddai Llŷr yn llonydd yn ei wely mewn lled-gwsg, heb fod yn barod i agor ei lygaid eto. Gallai deimlo ffrwd o hapusrwydd yn ymdreiddio trwy ei gorff: teimlad anarferol o foddhad – na, nid boddhad, mwy fel tangnefedd zenaidd.

Agorodd ei lygaid a sylwi ar gorff arall wrth ei ymyl. Menna. Wrth gwrs, dyna oedd y rheswm dros ei hwyliau arbennig ar ôl noson nwydus, ryfeddol. Doedd e ddim am i'r foment hon ddod i ben, ond cyn pen dim agorodd Menna ei llygaid hithau.

'Bore da, cariad!'

'Bore da, Llŷr. Ti'n ddyn hael, ti'n gwbod.'

'Wir?'

'Oes rhaid gofyn? Am fod yn ffrind da, ym mhob ystyr o'r gair.'

'Diolch. Galla i ad-dalu'r *compliment*.'

'Mae 'na rywbeth arall fyddai'n dy wneud yn ffrind gwell byth...'

Teimlodd Llŷr ran o'i gorff yn atgyfodi'n ddisymwth. Edrychodd arni'n ddisgwylgar. Ond aeth Menna ymlaen:

'... paned o de. Llaeth, dim siwgr, plis.'

Dringodd Llŷr o'r gwely, gwau ei ffordd trwy'r dillad cymysg ar wasgar ar y llawr, codi'r ddau wydryn gwag o Lagavulin o'r noson gynt, a mynd i lawr y grisiau tua'r gegin. Roedd y post newydd gyrraedd, yn anarferol o gynnar. Amlen wen, unigol, a'r cyfeiriad mewn llawysgrif: eto, yn anghyffredin, ac fel arfer yn arwydd o newyddion da, yn hytrach na biliau a hysbysebion. Roedd y cynnwys yr un mor anarferol:

Annwyl Dr Meredydd

Maddeuwch imi am ysgrifennu i'ch cyfeiriad cartref, ac yn ddienw. Mae gen i resymau digon da.

Gwn eich bod chi'n cymryd diddordeb mewn digwyddiadau amheus sy'n ymwneud â Phrifysgol Aberacheron. Hoffwn i ddweud bod gen i wybodaeth ddifrifol am yr Is-Ganghellor, yr Athro Roger Grimshaw. Mae'n fwy na phosibl y bydd cyhoeddi'r wybodaeth hon yn achosi cryn drafferth iddo, ac i'r Brifysgol.

Gyda lwc byddaf yn cwrdd â chi cyn hir i drafod y mater hwn, ond meddwl oeddwn i y byddai ond yn deg i'ch rhybuddio chi o flaen llaw.

Yn gywir iawn,

Ffrind

Doedd dim llofnod, nac enw, nac unrhyw gliw arall. Cerddodd i'r gegin i ferwi'r tegell. Llaeth, dim siwgr.

'O diolch, Llŷr annwyl, ti'n drysor.'

'Dim o gwbl.'

'Dyna gwpan cariad. Llŷr, dwi wedi bod yn meddwl am ein sefyllfa ni.'

'Beth amdani?'

'Dim ond un broblem sydd, hyd y gwela i. Dwi'n cofio rhyw hen nofelydd Saesneg yn sylwi fod anfantais anochel i briodas – doedd cyd-fyw ddim mor gyffredin ar y pryd. Ar ôl priodi dy'ch chi ddim yn cael gorwedd yn eich gwely yn lletraws byth eto. Rhaid cadw'ch corff yn syth.'

'Dwi'n gweld yr anhawster yn glir. Ti'n meddwl ei fod yn rhwystr marwol i'n perthynas newydd?'

'Falle ddim. Mae'n dibynnu sut dy'n ni'n trefnu'n cyrff o hyn mlaen. Newyddion da yn y llythyr 'na?'

'Wel, newyddion am newyddion, i fod yn fanwl gywir. Dylet ti gael cip.'

Darllenodd Menna'r llythyr. Roedd hi'n hollol effro erbyn hyn.

'Rhywun ti'n nabod, o bosib?'

'Anodd dweud. Dyw'r testun ddim yn ddigon hir inni allu dadansoddi'r steil sgrifennu. Yr iaith braidd yn ffurfiol. Aelod o staff y Brifysgol? Neu un o'r myfyrwyr mwy diwylliedig? Un oedd yn y *sit-in*, falle, a sy wedi darganfod cyfrinach niweidiol yn swyddfa'r Is-Ganghellor.'

'Does dim dewis 'da ti ond aros iddo e neu hi gysylltu. Ond pam mynd i'r drafferth o sgrifennu i dy rybuddio di?'

'Dim syniad. Falle'u bod nhw moyn inni fod yn barod i weithredu'n syth, ar ôl clywed yr wybodaeth yn llawn. Yn arbennig petai hynny'n golygu newyddion drwg iawn i Grimshaw. Hint, o bosib, y bydd angen gwneud penodiad arall.'

'Wel, does dim prinder gelynion 'da fe. Bydd llawer yn falch iawn o weld ei ddiwedd. Fe wnaeth y busnes am uno gyda Phrifysgol Aberlethe ddifrod mawr iddo. A busnes ei frawd. Ac wedyn y newid i farcio'n electronig, ei raglen o gau adrannau a gwneud penderfyniadau fel tasai e'n rhyw Napoleon newydd.'

'Amser a ddengys, Menna.'

'Gan ein bod ni'n sôn am is-gangellorion amheus, beth am ein gwaith ar "lofruddiaeth" Diocletian Jones? Mae'n edrych i fi bod ein "hymchwiliadau" wedi dod i stop.'

'Cytuno. Dy'n ni wedi croesi enwau pob un oddi ar y rhestr o bobl amheus. Geraint Price oedd yr unig un oedd yn bwriadu lladd yr Is-Ganghellor, yn ôl ei gyffes ei hun – a dwi ddim yn hollol siŵr y gallwn ni ei gredu e, mae'n greadur od iawn. Ond yn Aberlethe oedd e ar noson y farwolaeth, dim Aberacheron. Wedyn, cawson ni wybod bod Patricia Clampitt yn y Llyfrgell ar noson y digwyddiad, i gael sgwrs gyda'r Is-Ganghellor – ond eto roedd *alibi* 'da hi ar gyfer yr amser pan gollodd e ei fywyd. A'r unig un arall dan amheuaeth oedd Eugene Drinkwater – a doedd dim tystiolaeth o gwbl yn ei erbyn, ar wahân i'r ffaith iddo ddweud pethau annoeth am y dyn sawl gwaith. Wrth godi'r cwestiwn am ei resymau posib dros ddymuno drwg i Jones ro'n i'n teimlo'n lletchwith iawn, dwi'n cofio, a dim syndod ei fod mor ddiystyriol o'r syniad.'

'Mae'n bosib o hyd bod 'na bobl eraill allai fod wedi cyflawni'r peth...'

'Ond does dim tystiolaeth am neb arall – dim ond straeon eu bod nhw wedi mynegi pethau ymosodol yn ei erbyn ar wahanol adegau. Dywedodd Gene hyn wrtha i – ac wedi meddwl, dwi ond yn gallu cytuno 'da fe – onid yw'r amser wedi dod i osod o'r neilltu'r ffantasi plentynnaidd am lofruddiaeth, a derbyn bod marwolaeth Diocletian yn ddim byd ond damwain?'

'Mae'n debyg. Ond trueni, dwi wedi enjoio'r helfa'n fawr iawn, yn dy gwmni di. Roedd hi'n werth gwneud yr ymdrech, beth bynnag. Roedd yr awdurdodau'n llawer rhy barod i dderbyn bod dim esboniad arall yn bosib.'

'Diolch iti, Menna – yn y lle cynta, am fod yn barod i gredu y gallwn i fod yn iawn; ac yn ail, am dy waith ditectif arbennig.'

'Nawr gallwn ni ganolbwyntio ar ymchwilio ein gilydd, yn hytrach na phobl eraill.'

'Gallwn. Ond bydd angen cadw llygad ar yr Athro Grimshaw. Dwi'n siŵr bod mwy i ddod ganddo fe.'

'Gwir. Rho wybod imi'n syth os yw'r llythyrwr dirgel yn cysylltu.'

'Gwnaf. Ac fe wna i rywbeth arall hefyd, ynglŷn â'r Is-Ganghellor arall. Jyst rhyw syniad di-sail ddaeth imi ar ôl darllen am yr Ymerawdwr Diocletian. Ond sdim angen i ti wneud dim byd y tro hwn, Menna. Sgwarnog wallgo arall siŵr o fod.'

'Do'n i ddim yn gwbod bod diddordeb 'da ti mewn hen hanes.'

'Mae'n syndod mor berthnasol yw'r hen ymerawdwyr Rhufeinig inni heddiw. Dyma ni'n meddwl, yn ein naïfrwydd, ein bod ni'n byw mewn rhyw fath o ddemocratiaeth oleuedig, ond dyw'r natur ddynol byth yn newid...'

'Erbyn meddwl, os byddi di'n gwneud un ymholiad arall cyn rhoi'r gorau i'n hymchwiliad, falle y gallen i wneud yr un peth. Mae 'na un person dy'n ni ddim wedi talu unrhyw sylw iddi. Meddwl ydw i am Caroline, gweddw'r Athro Jones. Beth petawn i'n trefnu i ymweld â hi a gofyn ambell gwestiwn – yn garedig iawn, wrth reswm?'

'Syniad rhagorol, Menna. Wedyn gallen ni gymharu nodiadau, yn gwmws fel mewn nofel dditectif.'

25

Gair yn ei Amser: papur newydd wythnosol myfyrwyr Aberacheron

Rhifyn 526, 25 Ebrill 2016

Yr Athro Gari Grimshaw dan bwysau

Gan ein gohebydd arbennig

Heno mae'r Athro Gari Grimshaw yn wynebu sawl cwestiwn difrifol am ei benodiad fel pennaeth yr Adran Chwaraeon ac am ei ddulliau dadleuol o reoli'r Adran.

Mae papurau wedi dod i sylw Undeb y Myfyrwyr sy'n dangos sut penodwyd Grimshaw, sy'n frawd iau i Is-Ganghellor Aberacheron, i'r swydd hon yn y Brifysgol yn Hydref 2015.

Ecsbloetio gweithwyr, cyfoethogi ei hun

Cyn dod i'r Brifysgol bu Grimshaw yn berchen ar gadwyn o siopau dillad chwaraeon disgownt, GG Sports, a enillodd enw am dalu cyflogau isel ac am amodau gwaith gormesol. Aeth y cwmni i ddyled fawr, er bod y taliadau i'r cyfranddalwyr yn eithriadol o hael, ac erbyn 2014 roedd wedi peidio â masnachu. Collodd 2,000 o weithwyr eu swyddi. Dri mis yn ddiweddarach sefydlodd Grimshaw gwmni newydd, Sports Unlimited, a wnaeth elw trwy fewnforio dillad rhad o slafdai yn Asia a'u gwerthu am brisiau uchel yn y wlad hon. Gwerthodd Grimshaw y cwmni newydd am elw mawr ar ôl cael ei benodi i'r Brifysgol.

Yn ôl rheoliadau'r Brifysgol mae'n ofynnol llenwi pob swydd trwy gystadleuaeth agored a phroses gyfweld dryloyw. Ond mae'r papurau'n dangos, tu hwnt i bob amheuaeth, nad oedd cystadleuaeth yn achos penodi Grimshaw, na chyfweliadau o unrhyw fath.

Nepotistiaeth

Ymysg y papurau mae llythyr gan Ms Adelina Evans, yn y Gofrestrfa, at Gadeirydd Cyngor y Brifysgol, sy'n cwyno am fethiant y Brifysgol i ddilyn y gyfundrefn arferol. Mae'n ymddangos nad oedd hi am gydnabod unrhyw fai wrth orfod gweithredu'n amheus, yn groes i'w hewyllys.

Yn ei llythyr, dyddiedig 17 Tachwedd 2015, dywed Ms Evans, 'Ar ôl imi gychwyn ar y trefniadau ar gyfer hysbysebu'r swydd, daeth neges o swyddfa'r Is-Ganghellor i ddweud na fyddai hysbyseb, na rhestr fer na chyfweliadau. Byddai "proses arbennig" yn yr achos hwn, a dim ond un ymgeisydd, sef Mr Gary Grimshaw.'

Mae'n mynd ymlaen i ddatgan ei dymuniad i gofnodi ei gwrthwynebiad i'r penderfyniad hwn. Wedyn, mae'n disgrifio'r 'broses arbennig': 'Cynhaliwyd sgwrs rhwng Mr Grimshaw a'r Is-Ganghellor - ni ellir ei galw'n gyfweliad, ac nid oedd unrhyw swyddog o'r Gofrestrfa'n bresennol. Ac yn syth ar ôl hynny, derbyniais i gyfarwyddyd i ddrafftio cyhoeddiad mai Mr Grimshaw fyddai pennaeth nesaf yr Adran Chwaraeon, yn dwyn y teitl 'Athro' - er bod dim cymwysterau ganddo'.

Trin aelodau'r Adran fel baw

Dechreuodd yr Athro Grimshaw ar ei swydd newydd ym mis Ionawr eleni. Ar unwaith cyhoeddodd ei fwriad i 'garthu'r stablau' trwy gael gwared ar staff oedd yn methu 'tynnu eu pwysau'. Yn ôl un ffynhonnell, os na fyddent yn fodlon ymadael o'u gwirfodd, byddai'n cynyddu'r pwysau arnynt, trwy osod llwyth annioddefol o waith ar eu hysgwyddau. Os nad oedd hynny'n gwneud y tro, byddai'n codi'r ffôn a gweiddi arnynt, gan ddefnyddio'r math o iaith sy'n gweddu i derasau pêl-droed yn hytrach nag i brifysgolion. Wrth un aelod o staff a gwynodd am ei iaith aflednais dywedodd, 'Dyna'r unig iaith mae'r bobl yma yn ddeall. Nid ysgol feithrin mohonon ni.'

Ar yr un pryd ymosododd ar lawer o fyfyrwyr yr Adran am eu diffyg ymdrech. 'Does dim lle mewn chwaraeon elît,' meddai, 'i bobl sydd â chyrff gwantan neu feddyliau llesg'. Ymysg y geiriau y byddai'r Athro yn eu poeri at fyfyrwyr ar y trac athletaidd oedd 'malwoden ferchetaidd', 'llipryn llwfr', 'slebog' a 'hulpan' - heb sôn am sawl un arall na ellir eu hailadrodd yma.

Ym mis Mawrth cafodd yr Athro Grimshaw ei gyhuddo o fwlio a rhagfarn gan nifer o staff a myfyrwyr yr Adran. Mae nifer o achosion yn ei erbyn yn parhau mewn tribiwnlys diwydiannol. Yn y cyfamser mae *morale* staff a myfyrwyr yr Adran yn isel iawn, ac mae arwyddion bod cwymp yn y nifer sy'n gwneud ceisiadau i astudio yn yr Adran, fel canlyniad i'r cyhoeddusrwydd drwg yn y wasg.

Tawelwch swyddogol

Gofynnodd *Gair mewn Amser* am gyfweliad gyda'r Is-Ganghellor am y datguddiadau diweddaraf, ond gwrthododd siarad â ni. Rhyddhaodd Cassandra Evans ddatganiad cwta: 'O ran penodi'r Athro Gari Grimshaw, mae'r Brifysgol yn ffyddiog ei bod wedi glynu wrth y dulliau gweithredu cywir ar hyd pob cam.'

Gofynnon ni hefyd am ymateb i lythyr Adelina Evans gan

Gadeirydd Cyngor y Brifysgol, R. Oswallt Jones, ond roedd Y Parch. Jones i ffwrdd ar ei wyliau yn y Gambia.

Cwestiynau i'w hateb

Dywed Llywydd yr Undeb, Jâms O'Donnell, fod sawl cwestiwn i'w hateb gan y Brifysgol:

- o Pam na wnaeth y Brifysgol ddilyn ei rheolau ei hun wrth benodi pennaeth newydd yn yr Adran Chwaraeon?
- o Beth yw ymateb Cadeirydd y Cyngor i gyhuddiadau Ms Evans?
- o Sut mae'r Brifysgol yn bwriadu datrys yr argyfwng diffyg ysbryd yn yr Adran Chwaraeon?

Ychwanegodd Jâms, mewn cyfarfod o Fwrdd yr Undeb, ei fod yn amau'n fawr y gallai'r Athro Grimshaw barhau fel pennaeth yr Adran Chwaraeon. 'Ac yn wir,' meddai, 'a yw e'n berson addas i ddal unrhyw swydd ym Mhrifysgol Aberacheron?'

26

Cartref gwraig y diweddar Diocletian Jones oedd The Beeches, Sebastopol Road. Bu'n rhaid i Menna edrych ar fap o'r ddinas er mwyn ffeindio Sebastopol Road, un o'r strydoedd deiliog, neilltuedig yn rhan fwyaf cyfforddus Aberacheron.

Pan ffoniodd Menna i drefnu'r ymweliad, roedd Caroline Jones yn gyndyn i siarad i ddechrau, ond ar ôl derbyn esboniad meddalodd ychydig, a chytuno i groesawu Menna i'r tŷ i siarad dros baned.

Adeiladwyd The Beeches gan un o ddiwydianwyr mawr y dref tua diwedd y bedwaredd ganrif ar bymtheg. Ei nod oedd codi castell tyredog o garreg a brics fyddai'n datgan ei statws teilwng a chreu amddiffynfa symbolaidd yn erbyn bygythiadau'r dosbarth gweithiol. Roedd plant Diocletian a Caroline wedi hen adael y cartref, felly dim ond Caroline oedd ar ôl i fyw yn y tŷ mawr.

Agorodd y drws i Menna, ar ôl oedi hir. 'Dewch i mewn,' meddai Caroline, gan ei harwain i'r lolfa fawr, a gadael yr ystafell i ferwi dŵr i'r te. Does dim byd wedi newid yma, meddyliodd Menna, ers cyn y Rhyfel Byd Cyntaf, ar yr wyneb o leiaf. Ychydig o olau allai ddod i mewn trwy'r llenni coch trwchus a guddiai hanner y ffenestri. Yng nghanol y lolfa hongiai seren ganhwyllau addurnedig, ac oddi tani roedd celfi mawr, tywyll o'r cyfnod Edwardaidd. Tybiai na fyddai cysur i'w gael o eistedd yn yr un o'r cadeiriau mawr.

Daeth Caroline 'nôl â'r tebot a bisgedi, a golwg ychydig yn fwy rhwydd ar ei hwyneb, er bod y digwyddiadau yn amlwg wedi gadael marc ar ei chorff: roedd ei gwallt yn hir ac anystywallt a'i llygaid yn dangos diffyg cwsg. Wrth i'r sgwrs fynd yn ei blaen synhwyrodd Menna fod Caroline yn dechrau ymlacio ac ymddiried ynddi. Roedd yr amser wedi dod i godi testun Diocletian a'i ddyddiau olaf. Ond dechreuodd trwy holi am y dyddiau cynnar.

'Deio a fi? Cariadon ifainc, yn Llundain y 60au o'n ni. Roedd e'n paratoi am yrfa fel peiriannydd trydanol, yn y brifysgol. Dyn golygus iawn oedd e bryd hynny, a dawnus tu hwnt – fy Adonis i. Ces fy sgubo oddi ar fy nhraed! Unwaith aeth e â fi i brotestio yn erbyn arfau niwclear yng nghanol Llundain – delfrydwr tanbaid oedd Deio bryd 'nny. Aethon ni i ynysoedd Groeg unwaith, a hala deufis yn ymgolli yn ein gilydd ar y traethau heulog. Do'n i ddim yn gallu credu mor lwcus o'n i. Briodon ni, a chael Dicw ac Elan bron ar unwaith – dau blentyn bendigedig. Roedd fy myd yn gyflawn.'

Tawodd Caroline ac eistedd 'nôl yn ei chadair, gan chwarae â'r mwclis. Edrychodd allan trwy'r ffenestr agored, dros y lawntiau llydan a'r coed yn eu blodau, fel petai hi'n ail-fyw ei dyddiau hapus.

Wedyn aeth hi ymlaen i siarad am gyfnod ei gŵr ar y llwyfannau olew ym Môr y Gogledd, amser anodd ac unig iddi hi, ond proffidiol i Diocletian. Roedden nhw yn Sbaen ar wyliau pan gwympodd e mewn cariad â'r wlad a'i diwylliant, a phenderfynu yn y fan a'r lle i astudio llenyddiaeth Sbaeneg o ddifri. Cafodd e swydd fel darlithydd ym Mhrifysgol Abersticill. Disgleiriodd, derbyn mwy o gyfrifoldeb, a chael blas ar drefnu pethau, rhoi *orders* i bobl, a gweithredu cynlluniau busnes yn groes i ewyllys pobl.

'Siŵr o fod, cafodd y profiad o weithredu fel hyn effaith ar gymeriad Diocletian,' meddai Menna.

'Yn gwmws. Anghofiodd e am ei egwyddorion fel dyn ifanc – bod yn erbyn grym a braint ac anghyfiawnder. Roedd e wedi llyncu'r athroniaeth newydd yn gyfan – hunaniaeth, cystadleuaeth ac "i'r diawl" â phob un arall. Byddai e'n hala mwy a mwy o amser yn y gwaith – roedd e'n rhyw fath o gyffur iddo – a llai a llai o amser gartre. Tyfodd y tensiwn rhyngon ni. Fyddai e ddim yn dymuno bod yn fy nghwmni i weithiau – yn aml byddai e'n diflannu i'r stydi yn yr atig yn syth ar ôl swper – a fydden ni'n ffraeo mwy nag o'r blaen. Dyna pryd penderfynais i gychwyn ar yrfa fy hun – fel rhyw fath o wrthdyniad, neu bolisi yswiriant.

'Wedyn daeth newid arall: cyfle i Deio ymgeisio am swydd wag yn Aberacheron – yr Is-Ganghellor. Ro'n i wrth fy modd: byddai cychwyn o'r newydd, meddyliais, mewn lle arall, yn ailgynnau ein cariad ac adfer ein perthynas. Ac yn wir, i ddechrau, dyna beth ddigwyddodd. Cawson ni ryw fath o fis mêl newydd yn Ffrainc, a byddai Deio'n dangos diddordeb yn'o i eto. Mis mêl iddo fe yn y Brifysgol hefyd. Roedd gan bawb ddisgwyliadau uchel ynghylch yr Is-Ganghellor newydd. Bron pawb yn dymuno'n dda iddo, a hyd yn oed y sgeptics yn barod i roi cyfle iddo. Byddai Deio'n gwahodd pobl y Brifysgol 'nôl i'r Beeches yn rheolaidd am swper a thrafodaethau rhadlon. Des i i nabod llawer ohonyn nhw.'

Eto syllodd Caroline trwy'r ffenestr am rai eiliadau. Yn y tawelwch gallai Menna glywed cân dreiddgar aderyn du mewn llwyn cyfagos. Synhwyrodd fod y rhan fwyaf poenus o hanes Caroline i ddilyn.

'Dyddiau da – ond rhy dda i bara?'

'Oedden. Dechreuodd Deio ddangos ei liwiau. Roedd e'n benderfynol o roi stamp ei awdurdod ar y lle, waeth pa mor ddidostur oedd ei ddulliau. Dechreuodd drin pobl fel tasen nhw ddim yn bwysig. Ac roedd e'n argyhoeddedig bod ei farn e'n iawn bob tro – hyd yn oed os nad oedd neb arall yn cytuno 'da fe. O'r herwydd, aeth e'n amhoblogaidd. Byddai pobl yn osgoi ei gwmni. Aeth Deio'n fwyfwy ynysig. Roger Grimshaw oedd un o'r ychydig oedd yn dal yn agos iddo fe.'

'Ac fe gafodd hynny effaith arnoch chi...' Gwelodd Menna gwmwl du yn disgyn ar wyneb Caroline.

'Daeth â'i broblemau adre. Roedd e'n gyndyn eu rhannu nhw gyda fi, ond fi oedd yr un i ddiodde. Dysgais i gadw draw oddi wrtho pan fyddai e'n dod 'nôl i'r tŷ ar ôl diwrnod anodd, ac yn raddol sylweddolais i fod agendor mawr yn agor rhyngon ni, y byddai'n amhosib inni ei bontio eto. Treuliodd Deio fwy o amser i ffwrdd. Ar un adeg byddai'n teithio i Indonesia ar fusnes y Brifysgol – y campws mawr, newydd yna – ac aros am wythnosau.

'Yn y diwedd daethon ni i gytundeb anysgrifenedig – i bob pwrpas, i fyw bywydau ar wahân yn yr un tŷ. Bwyta ar wahân, gweithio ar wahân, cysgu ar wahân. Roedd y trefniant hwn yn gyfleus i'r ddau ohonon ni. Dim angen mynd trwy'r boen o werthu'r tŷ a symud, na godde'r sylw fyddai'n dilyn chwalu'r berthynas yn llwyr. Fe wnes i ganolbwyntio ar fy ngwaith – diolch byth am hynny. Ac i Deio wrth gwrs roedd ei waith yn bopeth. Heblaw am un peth. O'n i'n gwbod i sicrwydd ei fod yn cael affêr. Rhywun yn y Brifysgol, heb os. Wnes i ddim holi nac ymchwilio. Doedd dim ots 'da fi pwy oedd y fenyw. Mater i Deio'n unig oedd ei fywyd personol nawr.'

Bu saib am ychydig. Oedd rhagor i ddilyn? Llymeitiodd Caroline o'i chwpan oeraidd, gan bigo godre ei sgert yn barhaus â'i bysedd hir. Sut, meddyliodd Menna, alla i godi'r cwestiwn allweddol, am y cyfnod cyn marwolaeth Diocletian? Ond Caroline oedd y gyntaf i siarad.

'Ac felly dyna sut roedd pethau rhyngon ni, tan yn ddiweddar iawn. Ychydig ddyddiau cyn y ddamwain fe welais i wahaniaeth. Fel arfer roedd Deio'n ddyn digyffro, hunanfeddiannol. Ond wedyn, ym mis Medi, daeth e adre yn llawn cynnwrf. Yn amlwg roedd rhywbeth difrifol iawn yn ei gnoi. Allai e ddim canolbwyntio ar ddim byd, ac roedd golwg ofnus ar ei wyneb.'

'Ofynnoch chi beth oedd yn bod?'

'Do, yn y diwedd, er mod i'n gyndyn fel arfer i ymyrryd yn ei fywyd emosiynol. Ond ches i ddim ateb. Yn waeth na 'nny – fe wylltiodd e, a rhuthro lan staer.'

'Ac wedyn, y ddamwain...'

'Ie. Ie. Y ddamwain... Am ddyddiau, do'n i ddim yn gallu credu iddi ddigwydd. Fel tasai rhyw ddiafol wedi cael ei anfon o uffern i chwarae tric marwol. Ac i feddwl ei bod hi wedi digwydd yn llyfrgell y Brifysgol – y lle mwyaf diogel, mwya diniwed yn y dre.'

'Roedd e'n arfer gan eich gŵr i fynd i weithio yn y llyfrgell yn hwyr y nos?'

'Oedd. Byddai Deio yn ymfalchïo yn y ffaith ei fod yn dal i wneud gwaith ymchwil, ar ben ei ddyletswyddau fel Is-Ganghellor. A dweud y gwir, dwysáu wnaeth ei awydd i ymchwilio. Lorca, y bardd a'r dramodydd, oedd ei obsesiwn ar y diwedd. Dwi'n cofio iddo ddweud, yn un o'n sgyrsiau olaf, ei fod angen mynd i'r Llyfrgell i wirio un llyfr ola – argraffiad diweddar o *La casa de Bernarda Alba*, cyn cwblhau ysgrifennu ei erthygl – yr erthygl orau, meddai fe, y byddai'n ei chyhoeddi. Dylen i geisio dod o hyd i'r llawysgrif, siŵr o fod, a sicrhau ei bod hi'n ymddangos mewn cylchgrawn. Fel rhyw gofeb iddo. I brofi ei fod yn fwy nag unben academaidd.'

'Byddai hynny'n deyrnged...'

'Chi'n gweld, mae 'na ran ohona i sy mewn cariad 'da Deio o hyd. Yr hen Deio, fyddai'n fy ngalw i "Caro fach, annwyl" ac yn fy arwain law yn llaw ar draws cae yn y wlad a gorwedd ar y gwair wrth fy ochr...'

'Caroline, dwi'n meddwl dylwn i fynd. Chi wedi bod yn hynod garedig, ac yn hael eich amser.'

'Chi'n iawn, Menna. Mae blinder yn drech na fi. Ond diolch am wrando. Mae wedi bod yn dipyn o gysur imi.'

Aeth y ddwy fenyw 'nôl trwy'r fynedfa tua'r prif ddrws. Cerddai Caroline yn wargam, sylwodd Menna, ond roedd arwyddion o hyd o'r ferch fain, sionc yn y cae hafaidd flynyddoedd yn ôl.

Ar ôl i'r drws gau y tu ôl iddi, arhosodd Menna ar ei drothwy am hanner munud. Gallai glywed sŵn traed Caroline yn dychwelyd yn araf i lawr córidor y tŷ oer.

27

'Y tro diwetha,' meddai Llŷr, 'gofynnais ichi edrych ar garchar arfaethedig Jeremy Bentham, y "Panopticon", ac i ddylunio eich carchar eich hun at anghenion y ganrif hon.'

Heddiw roedd yr ystafell seminar fach yn llawn. Yn amlwg roedd y gwaith cartref wedi sbarduno dychymyg y dosbarth, ac roedd pawb yn awyddus i rannu eu syniadau: Damian Williams, Len Cadwalladr, Stan Oldham – fel arfer, ar ei ben ei hun ar yr ochr – a Branwen Meadows a'i ffrind orau Sioned, merch drawiadol â rhesen o grimson yn ei gwallt tywyll, fyddai fel arfer yn cadw'n dawel iawn mewn seminarau. Rheswm arall dros y presenoldeb oedd bod pawb wedi clywed y newyddion o'r Plas, fod yr Athro Gari Grimshaw newydd ymddiswyddo o'r Brifysgol 'am resymau personol', cyn bod cyfle i'r tribiwnlys ddyfarnu ei achos neu i Gyngor y Brifysgol ystyried ei sefyllfa. Doedd gan Damian ddim amheuaeth pwy fu'n gyfrifol am ffawd yr Athro:

'Buddugoliaeth bwysig i'r Undeb! Mae hyn yn dangos beth sy'n bosib os y'n ni'n aros yn unedig ac yn ymladd yn galed dros y gwir. Awn ni mlaen i chwalu'r dosbarth rheoli yma yn y Brifysgol a'u cyfundrefn orthrymus.'

'Damian, chi'n siarad dwli fel arfer.' Llais Stan Oldham. 'Sdim rheswm i neb lawenhau. Roedd yr Athro Grimshaw yn gwneud ei orau glas i adfer enw a pherfformiad yr Adran. Does dim modd gwneud omled heb dorri wyau, meddai rhywun – ac roedd digon o wyau clwc yn Chwaraeon.'

'Dwi'n meddwl y ffeindi di taw Joseph Stalin ddwedodd yr

ymadrodd am yr wyau,' meddai Len, 'ddim y math o ddyn ti'n dyfynnu fel arfer. Gall yr Adran fynd yn ei blaen yn iawn heb Grimshaw, yn ôl pob tebyg. A bydd Grimshaw yn hapusach 'nôl yn ei gynefin naturiol – byd cyfalafiaeth cig coch.'

'Ond dyna sy'n biti am y sefyllfa,' atebodd Stan. 'Ei amcan oedd dod â thipyn o ddisgyblaeth a dyfeisgarwch y sector preifat i ddiwylliant diog, blonegog prifysgolion.'

'Blonegog? Dyna ddisgrifiad perffaith o Gari Grimshaw ei hun: dyn a lenwodd ei fol ar draul ei weithwyr.'

Amser i Llŷr dorri ar draws y sgwrs, er ei bod yn datblygu'n addawol:

'Chi'n cyffwrdd ar bynciau hynod ddiddorol 'na. Ond 'nôl at destun y dydd. Mae'r Athro parchus wedi osgoi unrhyw ddedfryd, ond eich tasg oedd llunio carchar, a dweud pam ddewisoch chi'r cynllun.

'Jyst i'ch atgoffa chi, y Panopticon gan yr athronydd Jeremy Bentham oedd y cynllun. Cyhoeddodd ei syniadau mewn llyfr yn 1791, a pherswadio'r Prif Weinidog, William Pitt, i roi arian iddo fe ddechrau adeiladu carchar. Ond yn y pen draw aeth ei gynlluniau i'r gwellt. Adeilad crwn oedd y Panopticon i fod: y carcharorion yn y rhannau allanol, a'r ceidwaid yn y canol. O'u swyddfeydd gallai'r ceidwaid wylio'r carcharorion i gyd, trwy'r amser – dull rhad o gadw golwg a chadw disgyblaeth.

'Mae Michel Foucault – chi'n cofio ei enw o'r cwrs? – yn gweld y Panopticon fel symbol o'r ffordd mae "cymdeithasau disgyblu" yn gweithio. Maen nhw'n cadw gwyliadwriaeth ar eu pobl er mwyn sicrhau eu bod nhw'n cadw at reolau a normau'r gymdeithas – ddim trwy adeiladau arbennig ond mewn llu o ffyrdd eraill. Heddiw, wrth gwrs, mae gan lywodraethau a chwmnïau ddulliau technolegol newydd, pwerus iawn i gyflawni'r un amcan.

'Nawr 'te, pwy sy'n mynd i gynnig y cynllun cynta inni? Beth amdanoch chi, Sioned?'

Daeth Sioned yn ei blaen, yn betrus, agor dalen fawr o bapur a'i gosod ar y bwrdd gwyn. Roedd ei hadeilad hi'n fach ac yn syml.

'So, dechreuais i drwy feddwl pwy fyddai'n cael eu carcharu yn fy adeilad. A dyma'r pwynt allweddol, i fi o leia. Sdim angen, 'sen i'n dweud, i anfon cynifer o droseddwyr i'r carchar ag sy'n digwydd yn y wlad hon. Fel y'ch chi wedi esbonio wrthon ni, Llŷr, ni'n carcharu canran llawer uwch o'r boblogaeth droseddu nag unrhyw wlad arall yn Ewrop bron. Ond i fi, dim ond pobl sy'n debyg o fod yn berygl difrifol i eraill ddylai gael eu carcharu. Byddai'r gweddill yn cael eu trin o fewn y gymdeithas.

'Mae'n dilyn, felly, fod unrhyw garchar newydd yn mynd i fod yn gymharol fach – fel yr un yma ar y bwrdd. Byddai'r carcharorion wedi cyflawni troseddau difrifol – wedi lladd neu anafu pobl eraill, er enghraifft. Felly, fydd dim dewis ond cadw llygad gofalus arnyn nhw. Ond byddai'r pwyslais ar geisio newid ymddygiad y carcharorion, a'u paratoi at gyfrannu i gymdeithas ar ôl cael eu rhyddhau. Dyna pam dwi wedi neilltuo lot o'r lle yn fy nghynllun ar gyfer gweithgareddau – fel addysg, hyfforddi ac yn y blaen, sy'n mynd i helpu i gyflawni 'nny.'

Aeth Sioned trwy ei chynllun yn fanwl cyn crynhoi:

'Felly, mewn gair, llai o garcharorion, llai o staff – ond canran uwch o staff yn helpu'r bobl i droi eu bywydau rownd a'u dychwelyd nhw i'r byd gwaith a bywyd glanach.'

'Da iawn, Sioned, diolch yn fawr,' meddai Llŷr, 'dwi'n licio'r ffordd chi wedi ailfeddwl y rhesymeg y tu ôl i godi carchar. Unrhyw ymateb gan eraill i syniadau Sioned?'

Doedd yn syndod i neb pan gododd Stan Oldham ar ei draed:

'Mae'n amlwg imi fod cynlluniau Sioned yn gwbl afrealistig. Yn anwybyddu'r byd go iawn, y byd fel y mae, ac yn adlewyrchu'r math o fyd hoffai hi fyw ynddo mewn iwtopia yn y dyfodol. Sut ar y ddaear mae hi'n disgwyl...?'

'Stan, sori am dorri ar eich traws, ond falle byddai'n well tasech chi'n dweud wrthon ni am eich cynllun chithau...'

'Iawn, fe wna i.'

Twriodd Stan yn ei fag a thynnu rholiau niferus o ddyluniadau pensaernïol proffesiynol.

'Dwi ddim wedi creu fy nghynlluniau gwreiddiol i o'r newydd. Dyluniadau gan rywun arall yw'r rhain. Ydy hynny'n dderbyniol, Dr Meredydd?'

'Wrth gwrs, Stan. Y syniadau sy'n bwysig, nid y modd maen nhw'n cael eu cyflwyno.'

'Ces i'r rhain oddi wrth y bobl sy'n gyfrifol am y clamp o jêl sy'n cael ei adeiladu ar hyn o bryd y tu allan i Bont Fflegathon yn y gogledd. Fel chi'n gwbod, mae'n siŵr, un o gyfres o "fega-garcharau" newydd yw hwn. Y rheswm pam ddewisais i'r carchar hwn yw mod i'n cytuno â'r llywodraeth bresennol mai hon yw'r ffordd orau o drin pob math o droseddwr heddiw. Hynny yw, cloi carcharorion mewn sefydliad mawr, newydd lle bydd yr awdurdodau'n gallu cadw llygad barcud arnyn nhw, a gwneud iddyn nhw dalu am eu pechodau. Roedd Jeremy Bentham yn llygad ei le: rhaid ffeindio'r ffordd rata i drefnu carcharau. Felly llawer gwell codi mwy o adeiladau mawr na chadw llawer o garcharau bach, lleol, ac wrth gwrs eu dodi nhw yng ngofal cwmni preifat, fydd yn gallu gweinyddu'r lle llawer yn fwy cost-effeithiol na'r wladwriaeth. Heddiw, wrth reswm, does dim rhaid wrth "Panopticon" Bentham.

Gallwn ni gadw golwg barhaus ar bob dyn a menyw trwy CCTV a thechnolegau eraill. Yn wahanol i Sioned, dwi ddim yn rhagweld bydd llai o bobl dan glo yn y dyfodol. Mae'r nifer o droseddau'n cynyddu, ac mae'n hanfodol, yn fy marn i, bod troseddwyr yn wynebu cosb sy'n golygu rhywbeth difrifol iddyn nhw.'

Cafodd Stan flas ar ddisgrifio prif nodweddion y 'mega-garchar': ei waliau tal, ei gelloedd moel, ei goridorau diddiwedd a'r gwarchodwyr llym. 'Pwrpas yr adeilad hwn,' meddai wrth gloi, 'yw sicrhau bod eich profiad o fod yn garcharor yn ddigon annymunol na fyddwch yn cael eich temtio i gyflawni trosedd arall. Achos, fel dywedodd un o'n prif wleidyddion, 'mae carchar yn gweithio'. Eisteddodd Stan i aros am don o ymosodiadau aelodau eraill y dosbarth.

Diolchodd Llŷr i Stan am ei gyflwyniad. Gwahoddodd y lleill i holi Stan, ond doedd gan neb yr awydd i wastraffu amser yn dadlau gydag e. Branwen oedd y cyflwynydd nesaf. Dadrowliodd hi gynllun mawr, llawn lluniau manwl iawn. Esboniodd mai sefydliad i newid pobl oedd carchar, yn hytrach na ffordd o anghofio amdanyn nhw. Yn ei chynllun roedd 'coleg', gyda llyfrgell a stafell gyfeiriaduron a gweithdai a champfa fawr, a thu allan i'r adeiladau, gerddi a lotments. Roedd y ceidwad yn gyfuniad o diwtor, gofalwr ac ymgynghorydd.

'Diddorol iawn, Branwen,' meddai Llŷr. 'Bydd llawer i'w ddweud mewn ymateb i hynny, heb os.'

Dim digon o amser am ychydig o gyflwyniadau eraill oedd yna cyn diwedd y sesiwn. Rhuthrodd y myfyrwyr mwyaf Undebaidd oddi yno, i ddathlu eu buddugoliaeth a galw am ddiswyddiad arall – diswyddiad brawd yr Athro Grimshaw y tro yma.

Arhosodd myfyrwyr eraill am dipyn, ond cyn hir Sioned oedd yr unig un ar ôl. Daeth hi at Llŷr a gofyn, yn uniongyrchol, 'Gawsoch chi'r llythyr?'

'Pa lythyr?'

'Yr un anfonais i atoch chi bedwar diwrnod yn ôl. I'ch cyfeiriad cartre.'

Neidiodd Llŷr. Fyddai e erioed wedi dyfalu mai'r ferch dawel hon oedd yn gyfrifol.

'Chi anfonodd y llythyr dienw? Chi yw fy "ffrind?"'

'Ie, fi. Nes i oedi sawl gwaith cyn sgwennu, achos bod y mater mor ddifrifol. Do'n i ddim moyn rhoi'n enw i lawr ar bapur, am yr un rheswm.'

'Chi eisiau siarad amdano?'

'Plis. Ma pawb yn dweud bo chi'n ddyn ma rhywun yn gallu ymddiried ynddo.'

Teimlodd Llŷr ei fochau'n dechrau cochi. I raddau o achos gweniaith y ferch, ond hefyd oherwydd cywilydd. Yn amlwg roedd wedi tanbrisio cymeriad Sioned yn arw.

'Gobeithio mod i. Dwi'n fodlon gwrando. Ond ga i ofyn un peth? Bod Menna Maengwyn yn bresennol i wrando? Mae hi'n ddibynadwy hefyd, ac yn rhannu fy ffordd o feddwl am bethau'r Brifysgol.'

'Iawn. Beth am inni gyfarfod oddi ar y campws – yn Pen Plwton, y tafarn yn Heol y Frenhines: nos Fawrth nesa, am saith?'

'O'r gorau. A Sioned…?'

'Beth?'

'Llongyfarchiadau ar y cyflwyniad – yr un mwya meddylgar o'r cyfan, os ga i ddweud…'

'Diolch.'

Ar ôl i Sioned fynd, safodd Llŷr ar ei ben ei hun yn yr ystafell seminar. Beth yn y byd oedd hi'n mynd i ddweud? A pham cwrdd yn Pen Plwton? Doedd e erioed wedi bod yna: twll llychlyd, tanddaearol yng nghanol y ddinas, yn ôl y sôn. Roedd ar fin mynd ar daith anarferol i lawr i'r isfyd, fel Odysseus ac Aeneas o'i flaen. O leia byddai Menna gydag e yn arweinydd ffyddlon.

28

Y Post Cymreig

12 Mai 2016

Annwyl Anna Magdelena: y golofn i gariadon

Cwestiwn

Menyw annibynnol, hyderus ydw i, mewn swydd broffesiynol gyfrifol. Flynyddoedd yn ôl ces i berthynas angerddol â dyn yn y gweithle – dyn priod gyda dwy ferch, ond roedd y briodas wedi hen chwalu. Daeth hi i ben ar ôl ychydig fisoedd – er ein bod ni wedi parhau yn ffrindiau – ac ers hynny dwi heb fod mewn perthynas o ddifri gyda neb arall.

Yn ddiweddar daeth y ddau ohonon ni'n agosach at ein gilydd, yn benna trwy gydweithio ar brosiect arbennig, ac mae'r hen atyniad yn codi yndda i (ac ynddo fe) unwaith 'to. Teimlaf fod pethau'n wahanol y tro yma – yn un peth, dwi'n fwy aeddfed (yn fy 50au cynnar). Ond mae'n ymddangos imi fod y ddau ohonon ni wedi cyrraedd dwy lan gyferbyn i ryw afon dyngedfennol. Y cwestiwn imi yw hwn: a ddylwn i groesi'r bont dros yr afon, a rhannu ei fywyd yn llawn? Neu a ddylen ni fodloni ar fod yn ddim byd ond ffrindiau da? (Dwi'n meddwl ei fod e'n wynebu'r un dilema.)

Beth ydych chi'n ei awgrymu?

Ateb Anna

Ry'ch chi'n codi cwestiwn sy'n eitha cyffredin y dyddiau hyn, yn enwedig pan mae cymaint o berthnasau'n cychwyn yn y gwaith, a dyw diwedd perthynas ddim yn golygu diwedd cyfathrebu.

Does dim ateb syml, yn bennaf oherwydd bod pob achos yn wahanol. Dy'ch chi ddim yn disgrifio natur eich perthynas wreiddiol yn fanwl. Os oedd hi'n rhywiol yn bennaf, a'r ddau ohonoch chi'n gymharol ifanc, efallai fod dim syndod iddi ddiffodd ac oeri ar ôl i wres y wefr wreiddiol ymwasgaru. Rhywbeth byrhoedlog, undydd bron, felly: chwedl R. Williams Parry, 'digwyddodd, darfu, megis seren wib'.

Eto, dyw hi ddim yn glir imi a yw'r atyniad chi'n teimlo at y dyn yn gorfforol yn benna. Dwi'n synhwyro, o'ch geiriau am fod yn fwy 'aeddfed', bod eich perthynas bresennol wedi esblygu i fod yn un sy'n llawnach ac yn fwy parhaol. Os felly, ac os y'ch chi'n siŵr ei fod ef yn rhannu'r un dewis â chi, beth am drafod y dyfodol yn onest? Mae hyn yn mynd i swnio'n oeraidd, ond byddwn i'n awgrymu dadansoddi manteision ac anfanteision byw gyda'ch gilydd yn fras. I chi, 'swn i'n dychmygu, bydd cwestiwn annibyniaeth – annibyniaeth barn, a'r rhyddid i wneud beth bynnag y'ch chi'n ddymuno, a phryd. Ni ddylid diystyru'r pethau hyn, yn arbennig os y'ch chi'n gyfarwydd â byw ar eich pen eich hun. Wedyn, beth fyddech chi'n disgwyl o berthynas agos? Dwi'n cymryd na fydd plant yn dramgwydd, ond a oes perygl bod eich amcanion neu ddiddordebau personol yn debyg o daro yn erbyn ei gilydd?

Iddo fe, bydd cwestiynau eraill. Er enghraifft, beth fyddai effaith partneriaeth lawn ar ei ferched? Neu ar ei gyn-wraig, os y'n nhw'n agos mewn unrhyw ffordd o hyd?

Peth ffôl, wrth gwrs, fyddai disgwyl i'r ymarfer yma ddiweddu mewn 'ateb', naill ai'n gadarnhaol neu'n negyddol. Rhaid cael trafodaeth arall – trafodaeth fewnol unigol. Gan fy mod i'n dod o deulu cerddorol, maddeuwch imi os ydw i'n defnyddio cyfatebiaeth o'r byd hwnnw. Yn fy mhrofiad i, os yw perthynas agos, aeddfed yn mynd i barhau, mae angen rhyw gytgord elfennol rhwng dau berson. Yn naturiol, mae digon o le mewn darn cerddorol am ddrycseiniau o bryd i'w gilydd - fydd y ddau ddim yn cytuno ar bopeth bob tro - ond yn y pen draw, yn y math o gerddoriaeth dwi'n ei chyfansoddi o leia, does dim dianc rhag sicrhau bod y tannau'n cydseinio. Dim ond chi'ch dau sy'n gallu dweud a yw llinynnau cariad yn canu'n brydferth, ac yn rhoi pleser.

I grynhoi felly, yn eich sgidiau chi, os yw manteision personol perthynas agos â'r dyn hwn yn amlwg, ac os yw'r serch y'ch chi'n ei deimlo yn ddilys ac yn gryf, 'swn i'n barod i groesi'r bont a cherdded yn hyderus i'r dyfodol law yn llaw â'ch dyn annwyl. Os dyna yw eich penderfyniad, pob lwc i'r ddau ohonoch chi. Rhaid cofio taw prin yw'r cyfleoedd tebyg sy'n dod i'n rhan yng nghanol ein bywydau. Weithiau dylen ni eu bachu - cyn ein bod ni'n 'llithro i'r llonyddwch mawr yn ôl', ys dywed y bardd mawr arall, T.H. Parry-Williams.

29

Roedd Pen Plwton wedi gweld dyddiau gwell. Ugain mlynedd yn ôl, cofiodd Llŷr, tafarn ffasiynol a phoblogaidd oedd hon. Heddiw fyddai neb, o leiaf neb o staff y Brifysgol, yn meddwl am agor ei drws. Arweiniai córidor hir, tywyll o'r heol, i lawr y grisiau, i'r bar (roedd y 'lolfa' wedi cau ddeng mlynedd yn ôl). Y tu ôl i'r cownter safai cwpl o ddynion caled, â phennau croen, tatŵs amrwd a golwg fygythiol ar eu hwynebau. Roedd hi'n anodd gweld gweddill yr ystafell: doedd dim ffenestri, ac yn amlwg doedd y perchennog ddim yn credu mewn gwastraffu arian ar olau trydan. Ymdreiddiai aroglau unigryw trwy'r lle – cymysgedd o gwrw sur, llysiau wedi'u berwi a hen chwys.

Dirgelwch oedd sut y llwyddai Pen Plwton i barhau ar agor, pan oedd y rhan fwyaf o siopau ar Heol y Frenhines wedi hen gau. (Bu ymgais unwaith gan Gyngor y Ddinas i droi'r heol yn *boulevard*, gyda chaffis Canoldirol a *pétanque* ar y palmant, ond yn ofer.) Dim ond dau grŵp o bobl oedd i'w gweld tu mewn. Deuai myfyrwyr amgen o'r coleg celf yma bron bob dydd: eu pencadlys oedd y dafarn hon. Gallen nhw eistedd yma am oriau heb ofni gael eu symud. Ar ben hynny roedd y cwrw gyda'r rhataf yn y ddinas, ffactor bwysig iddyn nhw o achos bod dim un ddimai goch rhyngddynt. Tenau fel cribyn oedd corff pob un. Byddent yn plygu at ei gilydd dros y ford a thrafod celf a chariadon.

Nid grŵp fel y cyfryw oedd yr ail garfan, ond set o unigolion ar wahân. Dau beth yn unig oedd yn gyffredin rhyngddynt.

Dynion oeddent i gyd, ac roedd pob un wedi gweld caledi. Roedd rhai wedi bod allan o waith ers blynyddoedd, ac wedi colli unrhyw obaith o gael help gan y system welffêr. Roedd eraill yn gaeth i gyffuriau neu alcohol. Ambell dro deuai teip arall: creadur rhyfedd ei olwg yn eistedd wrth ford o flaen hen liniadur, i ddrafftio pennod arall o'i *magnum opus*, y 'Nofel Gymreig Fawr'. Ar ôl wythnos neu ddwy fyddai neb yn gweld hwn byth eto.

Dyrnodd y barman ddau beint o gwrw, o fragdy lleol Poer y Mwnci, o flaen Llŷr a Menna â chlep ymosodol. Aethon nhw i chwilio am gornel dawel. Ar ôl pum munud gwelon nhw Sioned yn sleifio trwy'r drws. Prynodd Llŷr lager iddi.

'Sioned, dyma Menna, Llyfrgellydd y Brifysgol, felly rhywun dibynadwy – llawn cydymdeimlad a pharod bob tro i wrando â chlust dda.'

'Diolch i'r ddau ohonoch chi am ddod. Sori am eich llusgo i'r cachdy yma. Ond mae 'na fantais fawr: gallwn ni drafod heb i neb sy'n rhan o'r Brifysgol wrando arnon ni, neu hyd yn oed wbod bo ni yma. Mae hynny'n bwysig achos mae'r wybodaeth sy 'da fi'n hynod sensitif – ac mae'r stori'n ryfeddol.'

'Popeth yn iawn, Sioned', meddai Menna, 'gallwch chi ymddiried yn'on ni. Chi fydd yn penderfynu beth i neud â'r wybodaeth.'

'Wel, man a man imi esbonio'r cwbl, o'r dechrau.'

[HANES SIONED]

So, fel y'ch chi'n gwbod mae'n siŵr, Menna, myfyrwraig ydw i ar gwrs criminoleg Llŷr. Fi ddim yn siarad lot yn y seminarau, Llŷr, fi'n cyfadde, ond dyw 'nny ddim yn golygu bo fi ddim yn ymroddedig i'r pwnc. A dweud y gwir, fi'n dwli arno fe. Dwi wedi breuddwydio am gael gradd ac wedyn gweithio gyda throseddwyr. Wna i ddim manylu ar hanes y teulu, ond aeth fy nhad i'r carchar unwaith, ac ailadeiladu ei fywyd ar ôl dod mas – diolch i swyddog prawf rhagorol a roddodd bob math o help iddo fe.

Dim ond un broblem sy 'da fi am fod yn y Brifysgol – arian. Ychydig iawn o arian oedd 'da fi yn y banc pan ddechreuais i. Ac wrth gwrs does dim cymorth cyhoeddus i bobl fel fi. Do'n i ddim am fynd i ddyled fawr eto, felly o'n i'n gorfod chwilio am waith. Ar y dechrau, gwaith mewn tafarnau – ar un adeg 'swn i'n helpu mas yn y twll hwn – ond sylweddolais i bo fi'n gallu ennill mwy o arian trwy ffyrdd eraill.

Soniodd ffrind da iddi hi gael arian mawr unwaith – roedd hi'n digwydd bod yn yr un sefyllfa druenus â fi ac mewn taer angen arian ar frys – a hynny trwy berfformio mewn clwb i ddynion yn Aberlethe. Fe gysylltais i. O fewn wythnos dyma fi'n dawnsio ar fordydd mewn stafell fawr danddaearol yng nghanol y ddinas, a bron dim dillad amdana i, o flaen haid o feddwon canol oed yn glafoerio ac yn gweiddi geiriau anweddus. Profiad ych a fi i ddechrau, ond ar ôl i fi neud e sawl gwaith ffeindiais i bo fi'n gallu canolbwyntio ar yr arian, ac anwybyddu'r dynion mochynnaidd o'm blaen i. Profiad addysgiadol oedd e hefyd. Dysgais i lawer am sut mae rhai o *crème de la crème* ein prifddinas yn ymddwyn – cyfreithwyr, dynion busnes, pêl-droedwyr, swyddogion heddlu. Agoriad llygad i fi – llawn cymaint o addysg, Llŷr, os ga i ddweud, â bod yn eich dosbarth chi.

Y cam nesa oedd hyn. Roedd un o'r merched oedd yn perfformio yn nghlwb Nigel's wedi gwneud gwaith tebyg yn Llundain, ond am gyflog llawer uwch. Felly dechreuais i chwilio am gyfle fan 'na. Roedd costau teithio ychwanegol, wrth gwrs, ond mae 'da fi deulu yna, ac o'n i'n gwbod bo fi'n gallu dibynnu arnyn nhw am noson ar soffa bob hyn a hyn. Yn sydyn, enillais i'r wobr fawr – neu dyna beth feddyliais i ar y pryd. Fe welais i hysbyseb am bobl i weini, a 'chyflawni gwasanaethau eraill', mewn cinio arbennig yng nghanol Llundain. Bwrdd Crwn y Tywysogion oedd y trefnwyr, cwmni pen ucha sy'n apelio at elît y ddinas – pobl fel cyfarwyddwyr cwmnïau rhyngwladol, oligarchiaid o Rwsia, aelodau o Dŷ'r Arglwyddi a bancwyr o'r Filltir Sgwâr. Maen nhw'n talu crocbris – miloedd o bunnau – am yr hawl i fod yn bresennol. Mae peth o'r arian yn mynd at 'elusen', a dyna yw eu hesgus moesol am fod yna. Un o'r rhesymau dros ddod yw eu bod nhw'n gallu rhyngweithio a gwneud eu busnes preifat yn rhwydd, mewn lle sy'n bell iawn o olau dydd. Wrth gwrs mae 'na resymau eraill...

Ces i gyfweliad dros Skype. Egluron nhw, heb fod yn benodol iawn, beth oedd y 'gwasanaethau eraill'. Yn ogystal â gosod bwyd o flaen y gwesteion mewn cinio mawr, o'n i fod i ddawnsio, tynnu fy nillad, ac o bosib neud tasgau eraill ar ôl bwyd. Cytunais i, a chael y gwaith ar unwaith.

Ar ddiwrnod y cinio es i lawr i Mayfair, i Glwb Perseffone. Roedd yr adeilad yn fawreddog, y tu mewn yn diferu â chyfoeth. Roedd digon o gadeiriau yn yr ystafell i dros ddeugain o westeion. Roedd cinio mawreddog yn aros iddyn nhw – saith cwrs, pob un â'i win arbennig. Cawson ni, y fyddin fach o forwynion ifainc, ein gwisgo mewn crysau gwyn, ffriliog, sgertiau byr a ffedogau du.

Yn raddol cyrhaeddodd y gwesteion yn eu siacedi ciniawa, trwsiadus – dynion i gyd, a'r rhan fwya dros eu hanner cant. Do'n i ddim yn disgwyl nabod neb, wrth sefyll yn y cyntedd yn cynnig diodydd iddyn nhw. Ond, i'r gwrthwyneb, roedd sawl dyn yn gyfarwydd i fi. Fe welais i Syr Richard Samson, y perchennog cwmni teithio â'i wallt hir cyrliog a'i agwedd sebonllyd, 'helô, neis iawn, iawn cwrdd â ti', a Dimitri Bilsen, y gwleidydd sy'n enwog am ei ffraethineb a'i ffordd amheus o drin merched. Wnes i gadw draw rhagddyn nhw. Wedyn, cyrhaeddodd slobyn tagellog o ddyn – sgotyn sy'n cyflwyno un o'r rhaglenni teledu gwleidyddol 'na – a dechrau sarhau un o'r merched am fethu deall *etiquette* cynnig bwydydd blasu.

Ond y syndod mwya oedd y gwesteion nesa i ddod i mewn. Neb llai na'r Athro Roger Grimshaw, fraich ym mraich ag Is-Ganghellor Prifysgol Aberlethe, George Plumtree. Bu bron i fi lewygu yn y fan a'r lle. Am ryw reswm do'n i ddim yn dychmygu am eiliad y byddai academyddion parchus fel nhw'n troi lan mewn lle fel hwnnw. Yn amlwg doedd dim ofn cael eu nabod arnyn nhw. A dweud y gwir, o'n nhw'n edrych fel tasen nhw wedi cael sawl gwydryn cyn cyrraedd: yn chwerthin ac yn mwynhau cwmni ei gilydd. Roedd hynny'n syndod arall i fi, achos o'n i ddim yn disgwyl fydden nhw'n ffrindiau o gwbl, o gofio'r berthynas rhwng y ddwy brifysgol.

Aeth y cinio yn ei flaen heb broblem, heblaw am chydig o eiriau awgrymog oddi wrth ambell bengwin, a sawl ymgais trwsgl i ddal gafael ar fy sgert neu fy nwylo. Erbyn y diwedd, ac ar ôl sawl potel o win, o'n nhw i gyd yn ansicr eu symudiadau ac yn siarad yn dew. Clirion ni'r byrddau tra oedd y port yn cael ei basio o gwmpas. Wedyn aeth nifer o'n ni'r merched i newid ein dillad. Daeth band i mewn a dechrau chwarae miwsig roc yn uchel. Troiodd llygaid pawb tuag at lwyfan bach un pen i'r ystafell. A dyma ni'n dod i'r golwg, y merched mwya siapus, o dan y goleuadau llachar, yn dawnsio'n bryfoclyd, cicio ein coesau'n uchel a symud ein cyrff yn ôl y cyfarwyddiadau. Yn raddol, wrth i'r system sain fynd yn uwch ac yn uwch, tynnon ni ein dillad fesul un, a'u taflu nhw tuag at y gynulleidfa. Cododd llawer o'r gwesteion, ymbalfalu rhwng y byrddau a sefyll o flaen y llwyfan – yn eu mysg Grimshaw a Plumtree, oedd yn canu caneuon cwrs a gwegian gyda'i gilydd.

Ar ôl hanner awr daeth y sioe lwyfan i ben, a symudodd yr hwyl 'nôl at y byrddau, lle roedd rhagor o win a wisgi a danteithion i'w cael. Y bwriad oedd bod gan bob bwrdd ferch i ddiddanu'r cylch dynion. Fel digwyddodd hi, fi oedd y ferch gafodd ei hanfon i'r ford lle roedd Grimshaw a Plumtree. Y disgwyl oedd y bydden ni'n sgwrsio'n gyfeillgar gyda'r gwesteion yn unigol, ond mwy na 'nny: o'n ni i godi ar ben y bwrdd o dro i dro, a dawnsio eto – ac eto tynnu rhai dillad newydd – cyn bod yn barod i ishte yng nghôl ambell un, os mynnon nhw. A dyna beth ddigwyddodd i ddechrau. Ond wedyn dyma Grimshaw – roedd e wedi cymryd ata i am ryw reswm – yn ceisio cyffwrdd fy mronnau a rhannau eraill. Fe ofynnodd i fi ishte ar y ford o'i flaen e, tra'i fod e'n sugno bysedd fy nhraed. Yn fuan collodd pob rheolaeth a dechrau ffugio fy ffwcio. Triais fy ngorau i gadw mas o'i freichiau. Erbyn hyn roedd pawb yn yr ystafell wedi sylwi. Cododd siant uchel, 'ROger! ROger! ROger!' – yn amlwg roedd ei enw'n gyfarwydd erbyn hyn – a 'nath Grimshaw stumiau mwy hurt byth. Wedyn, heb rybudd, fe syrthiodd e i'r llawr, mewn swp mawr o gnawd.

Gofynnais am gael fy symud at fwrdd arall, mwy gwâr, a ches i ddim rhagor o drafferth am weddill y noson. Am bedwar o'r gloch dechreuodd y dynion adael y clwb. Ces i gipolwg o'r Athro Grimshaw yn mynd mas trwy'r drws, fraich ym mraich o hyd gyda'i gyd-Is-Ganghellor, ond yn edrych yn swp sâl. O'r diwedd ces i gyfle i ddianc o'r stafell, newid fy nillad eto, codi fy arian a gadael yr adeilad. Roedd digwyddiadau'r noson yn dal i droi yn fy mhen am oriau cyn bo fi'n gallu mynd i gysgu ar y soffa.

[DIWEDD HANES SIONED]

'Am brofiad,' meddai Menna o'r diwedd. 'A wnaeth yr Is-Ganghellor ddim amau ei fod e'n ceisio gwneud argraff ar fyfyrwraig o'i brifysgol ei hun?'

'Na, dwi'n gwbl siŵr. Pam ddylai e? Dy'n ni erioed wedi cwrdd, hyd y gwn i.'

'Felly daethoch chi adre, Sioned,' meddai Llŷr, 'beth wedyn?'

'Wel, dim, i ddechrau. O'n i'n rhy ddryslyd i ddweud y stori wrth neb. Ces i ambell neges testun gan rai o ferched eraill y cinio oedd yn meddwl cwyno i'r cwmni am yr aflonyddwch rhywiol o'n nhw wedi'i ddiodde – roedd eu profiad yn waeth na'n un i. Ond wythnos diwetha ces i alwad ffôn. Riportar *Y Fall* oedd ar y lein, o'r enw Ronny Eels. A oedd hi'n wir i fi fod mewn cinio arbennig yng Nghlwb Perseffone? Bu bron i fi farw o sioc. Sut ar y ddaear oedd y dyn yn gwbod? Esboniodd ei fod e wedi cael *tip-off* gan aelod anfodlon o'r cwmni a gyflogodd y staff ar y noson – y person oedd wedi cyfweld fi, siŵr o fod – ac roedd y papur eisoes ar drywydd Roger Grimshaw, diolch i ffynhonnell arall. "Rhoi dau a dau at ei gilydd, mor syml â hynny," meddai'r dyn. Doedd dim pwynt gwadu'r peth: dywedais i bo fi'n bresennol trwy'r noson.'

'Y cam nesa, siŵr o fod, oedd ei fod am ichi wneud datganiad neu gyfweliad?'

'Ie, yn gwmws. Dywedodd e bo fe'n barod i ddod yma i Aberacheron, i gael y manylion i gyd oddi wrtho i.'

'Gytunoch chi?'

'Ddim ar unwaith. Gofynnais i faint o arian fyddai'r papur yn fodlon dalu. Fe wnaethon ni fargeinio am gwpwl o ddyddiau nes i'r swm godi i lefel fyddai'n caniatáu i fi ddileu 'nyledion i gyd, a thalu am holl gostau'r cwrs.'

'Wel, Sioned, chi wedi dysgu rhywbeth gwerth chweil o'r cwrs criminoleg! Felly, pryd mae'r stori'n mynd i ymddangos yn y papur?'

'Dydd Gwener yma, maen nhw'n dweud. O'n i moyn ichi wbod o flaen llaw. Mae'r busnes 'ma yn bownd o greu drewdod, yma yn Aberacheron, a thu hwnt. Falle fydd y ddau 'noch chi – pobl sy'n credu yn y Brifysgol a'i gwerthoedd – yn gallu neud yn siŵr fod rhyw ddaioni'n dod o'r cawlach.'

'A beth amdanoch chi, Sioned? Chi'n rhwym o ddod dan bwysau mawr. Bydd rhai, Grimshaw er enghraifft, yn awyddus i daflu amheuaeth ar eich hanes. Byddan nhw'n ceisio eich pardduo – dweud eich bod chi'n gelwyddast – awgrymu bod 'da chi reswm i lusgo enw'r Is-Ganghellor trwy'r baw.'

'Meddyliais i am 'nny. Cyn gynted ag o'n i'n gwbod bo fi'n mynd i weini ar ford Grimshaw, gofynnais i i un o'r merched eraill dynnu lluniau ar ei ffôn symudol o unrhyw weithredoedd amheus. Mae 'na lot 'nyn nhw – ac maen nhw'n fanwl iawn. Synnwn i ddim tasai un neu ddau'n ymddangos yn erthygl Ronny Eels.'

'Chi'n graff iawn. Ond cymerwch ofal, Sioned. Yn eich sgidiau chi 'swn i'n cymryd "sabothol" bach o'r Brifysgol yn syth ar ôl i'r erthygl gael ei chyhoeddi.'

Daeth y sgwrs i ben ac anelodd y tri am y drws. Doedd neb yn Pen Plwton wedi cymryd unrhyw sylw ohonynt. Eisteddai'r dynion unigol wrth eu byrddau, yn dal i syllu'n ffatalaidd ar waelod eu gwydrau, ac roedd y myfyrwyr yn dal i wneud stumiau gwyllt wrth iddynt drafod rhyw agwedd broblemus o theori gelf.

30

Y Fall, *Llun 23 Mai 2016, t.1*

Y Prifathro Porn Penis-el!

Gan ein gohebydd arbennig Ronny Eels

Mae Pennaeth un o'n prifysgolion mwyaf parchus wedi gwylltio mewn parti rhyw yn Llundain.

Roedd yr Athro Roger Grimshaw, Is-Ganghellor Prifysgol Aberacheron, yn un o'r gwesteion mewn noson afradlon ar gyfer aelodau o ddynion mwyaf breintiedig y wlad – a merched noeth yn dawnsio ar y byrddau cinio.

Digwyddodd yr achlysur elusennol yng Nghlwb Perseffone, clwb drudfawr yng nghanol Llundain, a drefnwyd gan Fwrdd Crwn y Tywysogion. Ry'n ni ar ddeall bod rhai o flaenwyr y brifddinas yn bresennol, gan gynnwys nifer o arweinwyr y byd addysg. Pris tocyn oedd dros £1,500.

'ROger! ROger! ROg-er!'

Mwynhaodd y gwesteion ginio swmpus, saith cwrs, ac wedyn sioe lwyfan o ddawnsio pryfoclyd gan ferched ifainc, noethlymun.

Aeth pethau'n fwy gwyllt ar ôl i'r merched ddod i ddifyrru'r gwesteion wrth eu byrddau.

Siaradodd un ohonyn nhw, sy'n fyfyrwraig ym Mhrifysgol Aberacheron, gydag Y Fall *am beth ddigwyddodd nesa. Meddai Sioned James, 20 mlwydd oed,*

'Gofynnodd yr Athro Grimshaw imi eistedd ar y ford o'i flaen e – o'n i wedi colli bron pob un o fy nillad – ac am ledu fy nghoesau.

Roedd e'n feddw gaib erbyn hyn. Fe deimlais i'n anniddig iawn. Dechreuodd e sugno bysedd fy nhraed, gan weithio ei ffordd lan fy nghoesau â'i dafod.

'Aeth e mor gynhyrfus nes iddo golli pob rheolaeth. Gwnaeth e stumiau rhythmig anweddus iawn, o fewn modfedd neu ddwy i fy nghorff – fel tasai'n treisio fi. Clywais i leisiau uchel yn atseinio trwy'r ystafell: "ROger! ROger! ROg-er!". Roedd y dyn yn ceisio datod gwregys ei drowsus, agor y sip a thynnu ei bidlen.

Codiad yr Is-Ganghellor – a'i gwymp

'Ond yn amlwg roedd y ddiod yn drech nag e. Achos y funud nesa plygodd ei goesau oddi dano.

'Fe gwympodd i'r llawr, yn hanner anymwybodol. Rhaid oedd i'w gyfaill, yr Athro Plumtree, roi help llaw iddo fe, a'i ddodi mewn tomen 'nôl yn ei gadair.'

Yr Athro Plumtree yw George Plumtree, Prifathro Prifysgol Aberlethe. Yn ddiweddar daeth y ddwy brifysgol dan bwysau i uno gan y Llywodraeth, ac mae swyddogion mewn trafodaethau am y mater ar hyn o bryd.

Mae Y Fall *wedi cyfweld nifer o'r merched eraill oedd yn gweini ar yr un noson. Maen nhw wedi cadarnhau adroddiad Ms James. Tynnodd un ohonyn nhw nifer fawr o luniau graffig sy'n cofnodi ymddygiad yr Athro Grimshaw (gw. t.3).*

Mae Roger Grimshaw yn ffigwr dadleuol yn Aberacheron. Penodwyd e i'r swydd ar ôl marwolaeth sydyn yr Athro Diocletian Jones. Prynodd y Brifysgol dŷ mawr iddo a chodi ei salari i £300,000 y flwyddyn.

Enillodd e'r llysenw 'Morthwyl Deio' am gyflawni gorchymyn Diocletian Jones i gau rhai o'r hen Adrannau, a hynny mewn ffordd ddidrugaredd iawn. Cafodd e fwy nag un anghydfod â'r myfyrwyr.

Gofynnodd Y Fall *am gyfweliad â'r Athro Grimshaw. Doedd e ddim yn fodlon siarad â ni. Ond anfonodd Cassandra Evans o'i swyddfa bersonol y datganiad hwn:*

'Mae'n ofid gan yr Athro Grimshaw glywed bod y wasg wedi cyhoeddi straeon am ginio yn Llundain yr oedd yn bresennol ynddo – straeon sydd ymhell o'r gwir.

'Hoffai ei gwneud hi'n glir fod y cinio yn ddigwyddiad hollol breifat. Doedd e ddim yna yn rhinwedd ei swydd ym Mhrifysgol Aberacheron, ond achubodd ar y cyfle i rwydweithio â nifer o bartneriaid y Brifysgol, er lles y Brifysgol. Talodd am y costau o'i boced ei hun. Dylid nodi i'r elw o'r cinio fynd at elusennau teilwng iawn.

'Doedd dim byd anghyfreithlon wedi'i wneud. Fydd dim byd pellach gan yr Athro Grimshaw i'w ddweud ar y mater, sydd erbyn hyn ar ben. Nid yw'n codi unrhyw gonsýrn am y ffordd mae'r Is-Ganghellor yn rheoli'r sefydliad.'

'Agwedd Neolithig'

Dyw pawb ddim yn rhannu ffydd yr Athro Grimshaw fod y mater 'ar ben'. Yn ôl Jâms O'Donnell, Llywydd Undeb y Myfyrwyr ym Mhrifysgol Aberacheron, mae'n codi nifer o gwestiynau am 'agwedd Neolithig' yr Is-Ganghellor tuag at ferched, ac am ei ddyfodol fel arweinydd y Brifysgol.

Barn Elen Efa, Cadeirydd Cangen Aberacheron Undeb y Darlithwyr, yw bod datganiad yr Athro Grimshaw yn 'hollol annigonol' ac yn 'codi cwestiynau dyrys' am ei ymddygiad siofinaidd na fydd yn gallu eu hosgoi.

Ceisiodd Y Fall *gysylltu â'r Parch. R. Oswallt Jones, Cadeirydd Cyngor y Brifysgol, am ei sylwadau ar yr adroddiad. (Y Cyngor yw'r corff sy'n cyflogi'r Is-Ganghellor.) Ond doedd e ddim ar gael; yn ôl y Brifysgol roedd ar ei wyliau yn y Gambia.*

Grimshaw i golli grym?

Mae Y Fall *yn dweud bod ymddygiad yr Athro Grimshaw yn codi nifer o gwestiynau pwysig:*

- *Ydy e'n meddwl bod ei agweddau tuag at ferched yn deilwng o rywun sy'n gyfrifol am sefydliad sy'n addysgu pobl ifanc?*
- *Ydy'r digwyddiad wedi dod ag anfri difrifol ar y Brifysgol?*
- *Os yw'r Is-Ganghellor wedi colli cefnogaeth staff a myfyrwyr y Brifysgol, a fyddai e'n ystyried ymddiswyddo?*
- *Ydy Cyngor Prifysgol Aberacheron a Chyngor Prifysgol Aberlethe yn hyderus fod uno'r ddau sefydliad yn gam doeth?*

Beth yw'ch barn chi, ddarllenwyr? Ydych chi wedi cael llond bol ar y ffordd mae prifysgolion yn cambyhafio y dyddiau hyn? Ydych chi'n meddwl eu bod nhw y tu hwnt i atebolrwydd i chi, y bobl? Lleisiwch eich barn heddiw ar ein gwefan!

Ar dudalennau eraill:

t.3 Rhagor o luniau syfrdanol o Glwb Perseffone.

t.17 Dinas yn derbyn crasfa fawr arall oddi cartref.

t.18 Heddlu yn rhybuddio ffans Diawliaid Aberlethe: dim trais yn y gêm derby yn erbyn Dinas Aberacheron – neu, byddwch chi dan glo.

31

Amser cinio, roedd y Mall yn llawn myfyrwyr yn gwibio o un ddarlith i'r nesaf. Tu allan i'r Llyfrgell safai Menna, yn gadael i'r heulwen anghyffredin daro ei bochau ac yn cadw llygad, fel arfer, ar y mynd a dod. Cyn hir byddai'r arholiadau'n dechrau a'r Mall yn wag unwaith eto. Gallai Menna weld, naill ben y Mall a'r llall, ddau graen tal yn codi llwythi mawr o goncrit o'r ddaear. Un o'r adeiladau newydd oedd canolfan i'r Adran Chwaraeon, gyda phob math o gyfleusterau er mwyn gwella a mesur y corff dynol, cystadleuol. Yr ail oedd 'Y Bogail', cadeirlan newydd goncrit a gwydr i fyfyrwyr. Roedd ei phwrpas yn hollol aneglur, yn arbennig i'r myfyrwyr. Roedd Undeb y Myfyrwyr wedi gwrthwynebu'r fenter fel gwastraff arian, ond penderfyniad yr awdurdodau oedd ei bod yn hanfodol er mwyn denu mwy fyth o fyfyrwyr tramor i Aberacheron. Am faint rhagor, meddyliodd Menna, all y Brifysgol arllwys arian i brosiectau mawr fel y rhain? Pryd bydd y swigen yn byrstio? Pryd bydd y prifysgolion yn teimlo gwyntoedd oer y dirwasgiad, fel pob un arall?

Torrodd rhywun ar draws myfyrdodau Menna. Ei ffrind Bronwen Glyndŵr oedd yna, â'i gwallt melyn, hir yn hedfan yn yr awel a'i sgidiau coch, llachar yn fflachio yn yr haul.

'Menna, ti'n edrych yn athronyddol iawn heddiw.'

'Ydy hynny'n drosedd y dyddiau hyn? Falle'i fod e, ers i Diocletian gau'r Adran Athroniaeth a bwrw'r athronyddwyr i gyd ar y domen sbwriel. Beth sy'n dod â ti i'r campws? O, wrth gwrs, cyfarfod brys Cyngor y Brifysgol.'

'Ie, yn gwmws. Cyfarfod caeedig, i drafod anturiaethau diweddar yr Is-Ganghellor. Wrth gwrs ddylwn i ddim dweud gair wrthot ti...'

'Ond dyw rheoliadau'r Brifysgol erioed wedi dy rwystro rhag...'

'Gwir. Glywaist ti hanes y noson enwog?'

'Pwy sy ddim? Mae'n anodd osgoi'r penawdau. Rhaid edmygu ffraethineb is-olygydd *Y Fall*. Felly, beth ddigwyddodd yn eich trafodaethau?'

'Roedd yr Athro Grimshaw yn absennol, wrth gwrs – y tro cynta i hynny ddigwydd. Y Parch. Jones yn y gadair, er syndod i bawb. Roedd si ar led cyn y cyfarfod ei fod e wedi estyn ei wyliau yn y Gambia yn fwriadol, er mwyn peidio â wynebu'r argyfwng. Beth bynnag am 'nny, roedd tipyn o liw haul ar ei wyneb.

'Roedd rhai aelodau o'r Cyngor yn gandryll am yr adroddiadau am ymddygiad Grimshaw, ac yn mynnu trafodaeth. Cynghrair yr hen stejars oedd hon – y bobl sy'n dal i feddwl, yn erbyn pob rheswm ac arfer, y dylai'r Is-Gangellor fyw bywyd moesol – a'r rhai sy'n gandryll am y ffordd mae'r dyn yn trin merched. Nhw oedd yr erlynwyr, fel petai. Ond roedd digon o aelodau eraill oedd yn barod i amddiffyn Grimshaw – ei geffylau ei hun, ac eraill, fel y bobl o fyd busnes – ddim fi! – sy'n credu nad oes wnelo arwain sefydliad ddim i'w wneud â moesoldeb. A'r Parchedig rhywle yn y canol. Mae e, wrth gwrs, wastad yn gefnogwr brwd i'r Is-Ganghellor, ond fel un sy'n perthyn i asgell Galfinaidd yr eglwys, mae gas 'da fe ddyn priod yn camymddwyn yn rhywiol.'

'Does dim eisiau gofyn dy farn di am y ddadl hon...'

'Nac oes! Ti'n nabod fi'n well na 'nny.'

'Felly, ddaethoch chi i benderfyniad yn y pen draw?'

'Do. Cyfaddawd o ryw fath. Gytunon ni na ddylai Grimshaw wynebu cerydd na phroses ddisgyblu. Ond ein barn oedd bod ei ddatganiad i'r wasg yn gwbl ddiffygiol, ac fe ddylai ryddhau datganiad arall, yn dweud ei fod yn gresynu'n fawr ynghylch beth ddigwyddodd yn Llundain, ei fod yn ymddiheuro'n llaes i'r merched yn y clwb ac y bydd yn cadw draw wrth Fwrdd Crwn y Tywysogion a chwmnïau tebyg yn y dyfodol.'

'Mae Grimshaw yn ddyn styfnig. Fydd e'n cytuno i wneud 'nny, ti'n meddwl?'

'Fydd dim dewis 'da'r boi, os yw e'n dymuno cadw'i swydd – o'n rhan i, beth bynnag.'

'A beth am y busnes arall – penodiad ei frawd ac yn y blaen? Oedd unrhyw sôn am hynny?'

'Oedd, ond dyfarnodd y Parchedig nad oedd hi'n briodol trafod y mater hwnnw ar yr un pryd. Ac yn ei farn e doedd dim achos i'w ateb.'

'Wel, wel, Bronwen! Felly, fe fydd Grimshaw wedi dianc heb dalu dim – ond am dolc bach i'w enw da, cyn bod pobl yn anghofio, o fewn ychydig fisoedd, am ei weithredoedd ffiaidd...'

'Dyna sut mae pethau'n ymddangos – oni bai bod 'na gleddyf arall sy'n hongian uwch ei ben. Ond dwi ddim yn gwybod am un.'

'A'r cynllun i uno'r ddwy brifysgol? Ydy'r holl gyhoeddusrwydd wedi bwrw hoelen yn yr arch honno? Yn enwedig gan fod Is-Ganghellor Aberlethe yn y clwb hefyd.'

'Dywedodd y Parch y bydd angen trafod hynny 'to. Ond synnwn i ddim tasai Aberlethe yn ailedrych ar y cynllun – ac o bosib ar ddyfodol eu Is-Ganghellor nhw. Clywais i fod eu Cyngor yn cael cyfarfod arbennig heddiw i drafod y sefyllfa.'

'Pwy a ŵyr, falle fod gobaith inni eto.'

'Yn bendant. Gobaith i'r Brifysgol hon ddianc o grafangau Aberlethe. Mae 'na fantais arall, nawr bod adenydd yr Is-Ganghellor wedi eu tocio. Fydd e ddim yn ddigon cryf i gau ysgolion ac adrannau yn ôl ei ddymuniad. Felly mae'r Adran Griminoleg yn ddiogel, o'r diwedd.'

'O, diolch byth.'

'Menna, rhaid imi frysio – gorffen busnes y dydd, casglu'r plant a pharatoi anerchiad i'r Siambr Fusnes heno. Cofia – ti ddim wedi clywed dim am beth ddigwyddodd yn y Cyngor heddiw...'

'Hwyl, Bronwen, a diolch. Ti'n gwybod bod neb yn well na fi am gadw cyfrinach. A Bronwen, jyst rhag ofn bod yna gleddyf yn syrthio ar ben Grimshaw, neu ei fod yn syrthio ar ei gleddyf ei hun – allet ti wneud yn siŵr taw menyw fydd yr Is-Ganghellor nesa plis? Dwi wedi cael llond bol ar ddynion truenus.'

'Cytuno'n llwyr, Menna. Hwyl am y tro.'

Gyda hynny hwyliodd Bronwen i lawr y Mall i gyfeiriad y maes parcio, gan chwibanu alaw gyfarwydd: 'Sisters are doin' it for themselves'.

Arhosodd Menna yng nghanol y Mall, gan obeithio y byddai rhagor o newyddion yn dod i'w rhan, ond welodd hi neb am sbel. Dim ond ambell grŵp o fyfyrwyr. Aelodau o'r Clwb Syrffio, pob un yn ei siwt wlyb ac yn cario bwrdd syrffio. Byddai'r rhain yn lwcus o grafu 2.2 yn eu ffeinals, meddyliodd Menna, gan eu bod yn hala llawer mwy o amser yn y môr nag yn y Llyfrgell. Wedyn, giang o ferched â thyllau metelig yn cario baner goch yn dwyn y geiriau, 'Grimshaw, peryg i bob merch: ewch nawr!' Wedyn, criw bach o efengylwyr, trwsiadus eu gwallt, eu trowsus yn rhy fyr a'u sgertiau yn rhy hir, yn gwthio eu pamffledi o dan drwyn pawb oedd yn pasio heibio ac yn ceisio eu hargyhoeddi i droi at yr Arglwydd – ond heb godi fawr o ddiddordeb. A sawl myfyriwr mewn sbectol, mwy dyfal eu golwg, yn mynd â'u gliniaduron, eu llyfrau a'u poteli dŵr i gyfeiriad y Llyfrgell. Taflodd Menna wên fechan, fendithiol atynt.

Troes ei gwên yn chwerthin llydan pan welodd hi Llŷr yn cerdded tuag ati.

'Menna, mae fy niwrnod i'n gyflawn! Sut wyt ti, cariad?'

'Ddim yn ddrwg, siwgr lwmp. Ond dylwn i fynd 'nôl i'r Llyfrgell. Beth am goffi arall yn fy stafell?'

Dyma'r tro cyntaf erioed i Llŷr dderbyn gwahoddiad i ymweld â 'Nyth yr Eryres', enw Menna ar ei hystafell ar lawr uchaf y tŵr gwydr uwchben y Llyfrgell. Cyfle rhy dda i'w wrthod.

'Syniad da, diolch. A gallwn ni rannu nodiadau am ein hymchwil...'

Aeth y ddau lan y grisiau i bencadlys rheoli'r Llyfrgell, a chyrraedd y fynedfa i'r Nyth, lle roedd Twm Redpath, PA Menna, yn eistedd wrth ei ddesg.

'Menna, neges ichi. Mae'r cwmni wedi dod i drwsio'r silffoedd symudol. Allan nhw fynd yn eu blaen?'

'O'r diwedd! Wrth gwrs, Twm. Gofynnwch iddyn nhw fod yn ofalus gyda'r llyfrau sy'n dal i fod ar y silffoedd.'

Roedd y Nyth yn lle hynod, ar wahân i'r olygfa banoramig dros y campws trwy'r ffenestri mawr. Ar y silffoedd a'r byrddau gorweddai pethau roedd Menna wedi'u casglu o'i theithiau mewn parthau anghysbell o'r byd: ffosil o ichthyosor o ddwyrain Tsieina, arwyddbost Cymraeg o'r Wladfa, penglog arth wen o ynysfor Sffalbard, a hen *kora* o Senegal. Rhyfeddai Llŷr at y trysorau hyn. O'r diwedd, meddai,

'Ond mae dy dŷ mor blaen. Rhaid bod yna ddwy Menna:

un sy'n rheoli a threfnu a rhoi'r byd yn ei le, a Menna arall, breuddwydwraig a menyw wyllt, sy'n gallu hedfan i'r awyr, ymhell uwchben ein pryderon pitw yma yn Aberacheron.'

'Mae'n anodd dod i nabod rhywun arall yn drylwyr, on'd yw hi – hyd yn oed os y'ch chi'n nabod eich gilydd ers blynyddoedd maith? Ti'r un mor gymhleth o ran cymeriad a hanes, heb os.'

'Fi? Prin fod hynny'n wir. Dwi mor dryloyw â'r ffenest 'ma. Ond 'sen i'n licio cael mwy o gyfle i chwilio dyfroedd dy gymeriad di…'

'Pwy a ŵyr, falle daw'r cyfle hwnnw cyn hir iawn. Ond, am y tro, beth am rannu gwybodaeth am rywbeth mwy taer?'

'Iawn, Menna. Wel, beth amdanat ti? O't ti'n mynd i weld gweddw Diocletian, ydw i'n iawn?'

'O'n. Es i i'w gweld hi, yn ei thŷ crand yn Sebastopol Road. Menyw hyfryd, ond hynod drist yw Caroline Jones, dywedwn i. Profiad ysgytwol oedd clywed ei hanes, a hanes ei phriodas. Yn amlwg roedd y ddau'n byw bywydau ar wahân, ar y cyfan, ac eto roedd hi'n dal i gario fflam ei serch ato fe. I dorri stori faith yn fer, ces i'r argraff i newid mawr fod yng nghyflwr meddyliol Diocletian, ychydig iawn cyn ei farwolaeth. Doedd e ddim arfer trafod gwaith gyda'i wraig, ond roedd hi'n amlwg i Caroline fod baich mawr ar ei ysgwyddau, ei fod yn isel iawn ei ysbryd ac yn gyndyn i ddatgelu ei broblemau iddi. Gofynnais a oedd ganddi unrhyw syniad beth oedd achos y diflastod hwn, ond allai hi ddim bwrw amcan hyd yn oed. O, ond roedd un peth bach arall: dywedodd Caroline beth oedd ei gŵr yn ei ymchwilio yn y Llyfrgell.'

Esboniodd Menna am yr erthygl roedd Diocletian yn ei hysgrifennu am Lorca.

'Diddorol iawn, Menna. Ti'n ymhell o fod yn wyllt a

breuddwydiol – ti'n athrylith! Dwi'n mynd i wneud dau beth yn syth. Un yw cael gair arall gyda Patricia Clampitt. Dwi ddim yn meddwl ei bod hi wedi dweud y cwbl wrthon ni 'to.'

'A'r llall?'

'Mae'r ateb i'r ail gwestiwn i'w ganfod yn yr adeilad hwn. Twm, y PA – fe wnaeth fy atgoffa mod i ddim wedi meddwl yn ddigon trylwyr am y silffoedd symudol. Dywedodd fod y gweithwyr yma i'w trwsio nhw, do?'

'Do. Mae'n hen bryd i'r gwaith gael ei wneud. Dyw'r silffoedd ddim wedi bod yn gweithio ers misoedd nawr, a bydd rhaid inni allu cynnig mynediad i'r llyfrau sydd arnyn nhw.'

'Mae'r llyfrau yna o hyd? Neb wedi eu tynnu nhw?'

'Neb. Doedd dim rheswm i symud dim, felly mae'r llyfrau wedi aros jyst fel o'n nhw cyn y ddamwain.'

'Rhagorol. Tybed a fyddai'n bosib imi fynd lawr i gael cip arall? Hynny yw, yn syth bin? Ga i?'

'Wrth unrhyw un arall 'sen i'n dweud, "Na chewch, dan unrhyw amgylchiadau". Ond ti'n wahanol. Cer di lawr nawr – ond gwna'n siŵr dy fod yn cael gair gyda'r gweithwyr cyn dechrau. A chymer ofal – cofia beth ddigwyddodd i Diocletian.'

'Diolch, Menna, ti'n ffein iawn. A dwi'n addo, dim damweiniau pellach.'

A heb ddweud rhagor, rhuthrodd Llŷr o'r Nyth ac anelu am y silffoedd marwol.

32

Darn o ffrwd Twitter Sioned James, 24 Mai 2016

Sioned James @sionedj · 14h
Wel, diolch o galon i bawb am gefnogi. Bydda i'n cymryd saib o drydar nawr. Bant i'r lle trin gwallt – i gael gwallt fflamgoch y tro hyn!

15 54 246

Branwen Meadows @brângoesgoch · 15h
Mm pen-blwydd hapus @sionedj! am ffordd o ddathlu – serennu yn y papurau! Ti'n arwr i fi, ti'n gwbod. cadw'n saff.

34

Jâms O'Donnell @llywyddyrundeb · 15h
Cofia @sionedj fe fydd pobl yr Undeb yn sefyll cant y cant tu ôl iti – cysyllta pan fo angen. Anwybydda'r trols i gyd, ac ymosodiadau Grimshaw.

18 56

Branwen Meadows @brângoesgoch · 15h
Pwy yw'r twpsyn hwn, unrhyw un yn gwbod? Wna i ferwi ei ben os ffindia i mas.

6 23

Boyswillbeboys @andproudofit · 16h
Pwy yw'r @sionedj 'ma eniwe? Merch fach, lysh ond hollol ddrwg – dim llawer mwy na putain rili. Sdim hawl 'da ti sbwylo hwyl y dynion, Sioni.

18 56

Cymdeithas Beca @wimminssoc · 16h
OK @sionedj ti wedi dinoethi Grimshaw a'i fêts gwarthus. Ond allwn ni, fel Cymdeithas, ddim dy esgusodi di am weithredu mewn ffyrdd sy'n sarhau a bychanu merched.

Prifysgol Aberlethe @prifaberlethe · 16h
Mae Cyngor y Brifysgol wedi penderfynu atal yr Is-Ganghellor, yr Athro George Plumtree, o'i swydd, hyd nes bod ymchwiliad llawn i'w ymddygiad yn Llundain. Hefyd penderfynwyd rhoi stop ar unwaith i drafodaethau gyda Phrifysgol Aberacheron am uno'r ddwy brifysgol.

56

Stan Oldham @stanoldham · 17h
Dyma'r tro cynta imi fod ar Twitter, felly maddeuwch imi os nad yw'n berffaith. Y cyfan dwi eisiau dweud yw hyn: diolch @sionedj am agor fy llygaid o'r diwedd – llawer yn rhy hir, mae arna i ofn, i anfoesoldeb ein Is-Gangh

4 6

Elen Efa @UndebyDarlithwyr · 18h
Llongyfarchiadau i @sionedj am ddod â gweithredoedd yr Is-Ganghellor i olau dydd. Bydda i'n rhoi cynnig gerbron Pwyllgor yr Undeb yfory: ein bod ni'n galw ar yr Athro Grimshaw i ymddiswyddo ar unwaith.

22 52 78

Y Fall @YFallarlein · 19h
Argyfwng Prifysgol Aberacheron: Grimshaw yn aros yn fud. Y pwysau arno yn cynyddu: Y Fall wedi rhyddhau rhagor o luniau o Glwb Perseffone.

76  

Damian Williams @chwyldro · 20h
WOW! Gwaith da gan @sionedj. Y diwedd, o'r diwedd, i Grimshaw, y mwlsyn?

Fflur James @fflurj · 20h
ww, sis, be ti wedi neud nawr? fi MOR browd ohonot ti. meddwl am y ddau hen ddyn brwnt 'na – hollol TRAGIC! Joya dy ben-blwydd. Gwna rwbeth gwallgo! (dy wallt?)

33

'Senedd. Enw urddasol, hynafol, ontife? Beth sy'n dod i'ch meddwl pan chi'n clywed y gair "Senedd"? Yr hen Rufain? Rhesi o hen wŷr mewn togas gwyn – Cicero, Caesar, Cato a'r lleill – yn parablu'n ddiderfyn am ffawd y ddinas. Neu ein Senedd annwyl yn y Capitol yn DC, a'r Seneddwyr yn trafod ac yn gwneud penderfyniadau ar ran miliynau o bobl ledled y wlad.'

Safai Eugene Drinkwater ar drothwy ystafell Llŷr. Yn ei law roedd pecyn o bapurau trwchus: agenda a phapurau ar gyfer cyfarfod Senedd Prifysgol Aberacheron dydd Iau.

'Neu hyd yn oed yr ysgol feithrin 'na lawr yn San Steffan. O leia mae'r Aelodau Seneddol yn gwneud ymgais, o bryd i'w gilydd, i drin a thrafod pethau pwysig.

'Ond ein Senedd ni! Beth yw'r pwynt? "Prif gorff academaidd y Brifysgol," medden nhw. Wir? Ry'n ni i gyd yn ishte 'na fel lemons. Mae Grimshaw a'i *clique* yn cael eu ffordd ar bopeth, heb rwystr, a neb yn meiddio dweud bw na be. Ti'n cofio, Llŷr, yr un diwetha i siarad yn blaen yn y Senedd yn erbyn ei Is-Ganghellor oedd yr hen John Wynne, Athro Athroniaeth.'

'A drychwch beth ddigwyddodd iddo fe,' meddai Llŷr, 'colli ei adran, colli ei swydd a gorfod ymddeol yn gynnar.'

'Wel, dwi ddim yn fasocistaidd, doedd dim bwriad 'da fi i fynd i'r cyfarfod – nes imi sylwi ar beth sy ar waelod yr agenda, dan y pennawd "Unrhyw Fater Arall". Mae'n dweud, "Mater brys (Dr Llŷr Meredydd)". Beth sydd?'

'Wel, Gene, bydd rhaid iti ddod i ffeindio mas. A galla i addo iti, fe fydd e'n werth bod yn bresennol.'

Aeth Eugene 'nôl i'w ystafell â golwg ddryslyd ar ei wyneb.

Pum munud arall, a chnoc arall ar ddrws Llŷr. Am ryw reswm roedd e'n boblogaidd y bore yma.

'Branwen! Dewch i mewn – a diolch am ddod.'

'O'ch chi am gael gair 'da fi? Am fy ysgrif? Fi'n gwbod ei bod hi'n is na'r safon. Mae rhywbeth wedi tynnu fy sylw oddi wrth y gwaith.'

'Dim byd i wneud â'r gwaith academaidd, Branwen. Mwy am y "rhywbeth". Clywais i fod yr Is-Ganghellor yn ymosod ar swyddogion Undeb y Myfyrwyr eto.'

'Chi'n iawn. Mae e'n beio'r myfyrwyr, ac aelodau'r Undeb yn arbennig, am bopeth sy wedi digwydd iddo fe'n ddiweddar: yr ymweliad gan y dyn o Kharbwt, problemau ei frawd a'r newyddion am y clwb yn Llundain. Mae'n neud pob math o fygythiadau yn ein herbyn ni – fel, rhoi'r gorau i'n ariannu ni. Ac mae e'n cyhuddo ni o "blannu" Sioned yn y clwb yn Llundain fel trap cyfrwys i'w ddala fe. Ry'n ni i gyd yn ofnus am y dyfodol...'

'Dyna beth glywais i. Ond dyw'r Is-Ganghellor ddim mewn sefyllfa i dalu'r pwyth yn ôl ichi...'

'Pam?'

'Wel, alla i ddim esbonio nawr. Ond peidiwch â becso amdano fe.'

'Diolch, Llŷr. Fi'n addo neud fy ngorau.'

'A Branwen: un peth arall...'

'Ie?'

'Ydw i'n iawn i feddwl eich bod chi'n un o'r aelodau etholedig ar y Senedd?

'Ydw. Mae pump 'non ni.'

'Falle fyddai e'n talu ichi i gyd fod yn bresennol yn y cyfarfod dydd Iau.'

'Wir? Wel, os chi'n dweud, fe wnawn ni.'

Roedd Branwen yn rhy ddeallus i holi rhagor. Diolchodd i Llŷr eto a gadael ei ystafell.

Pum munud arall, clec sgidiau yn y córidor tu allan a chnoc arall. Daeth Lisa i mewn. Fel yn achos Eugene, roedd y pecyn o bapurau'r Senedd dan ei chesail. Meddyliodd Llŷr ei fod yn medru gweld fflach fach o lawenydd yn ei llygaid.

'Helô, Mr "Unrhyw Fater Arall".'

'Fel ti'n gwbod, Lisa, mae gan unrhyw aelod o'r Senedd yr hawl i gynnig eitem i'r agenda, ac yn achos "Unrhyw Fater Arall" does dim rhaid datgan beth yw'r rheswm.'

'Dylet ti fod yn gyfreithiwr, Llŷr, yn hytrach na chriminolegydd.'

'Na, mae gan griminolegydd fanteision.'

'Felly, mae dy waith mawr di'n amlwg yn ei anterth.'

'Cawn ni weld. Jyst un cais sy 'da fi, Lisa. Allet ti annog aelodau staff y Senedd i ddod i'r cyfarfod?'

'Wrth gwrs. Go brin fydd angen troi braich neb. Ma pawb yn gwbod eisoes fod rhywbeth ar droed.'

34

Darnau o ddyddiadur preifat Cassandra Evans, 2016

12 Chwefror

Dihuno am 6:00am. Bron dim cwsg neithiwr. Gofyn y cwestiwn i fi fy hun eto: pam ydw i'n dal i wneud y job hwn? Weithiau dwi'n teimlo fel llysgennad. Beth yw diffiniad enwog llysgennad? 'Rhywun sy'n cael ei anfon dramor i balu celwyddau dros ei wlad.' (Neu rywbeth tebyg.) 'Newyddion ffug' - dyna beth dwi'n ei gynhyrchu trwy'r dydd. Gwneud i'r achos gwaetha ymddangos fel yr achos gorau. 'Swyddog Cyfathrebu'? Na, 'Swyddog Anwireddau', a bod yn fwy onest.

Pam? Pam mod i'n darostwng fy hun fel hyn, bob dydd?

Y dasg heddiw: helpu'r IG [Is-Ganghellor] i lunio datganiad yn gwadu iddo ddweud celwydd am ei frawd.

14 Mawrth

O'r diwedd, newyddion da. Newyddion da y galla i ei chwyddo i fod yn newyddion eithriadol.

Mae'n ymddangos i Aberacheron ddringo un o'r tablau cynghrair sy'n mesur pa mor fodlon mae myfyrwyr Prydeinig ar eu profiad yn y brifysgol. Iawn, mae'r tabl yn dod o gwmni braidd yn amheus, Best Student Data plc, ond mae'n ymddangos yn y *Sunday Post*, sy'n cael ei ddarllen gan ddarpar-fyfyrwyr a'u rhieni.

O fewn pum munud, dwi'n drafftio datganiad i'r wasg: 'Llwyddiant ysgubol i Aberacheron! Neidiodd y Brifysgol i fyny rhestr y prifysgolion gorau i fyfyrwyr – y naid fwyaf i unrhyw brifysgol yn y wlad...'

4 Ebrill

Argyfwng. Mae'n digwydd unwaith bob deufis, ar gyfartaledd. Fel arfer, mae'n dechrau yn yr un ffordd. Newyddiadurwr ar y ffôn: 'Clywais i fod "x" wedi digwydd ym Mhrifysgol Aberacheron. Tipyn o sgandal, yn ôl rhai. Beth yw ymateb y Brifysgol? Bydd y stori ar Newyddion Chwech heno...' Wedyn rhaid imi fynd nerth fy nhraed rownd y campws i ffeindio allan beth sy wedi digwydd, pwy ddywedodd beth, beth fyddai'r ymateb gorau.

Pan ddes i yma, dywedodd fy rhagflaenydd, 'Fe fyddi di'n gwbod pryd wyt ti wedi meistroli'r swydd os elli di roi'r clawr ar sgandal – a'i gadw fe dan glo.'

Y tro yma, 'dim platfform' yw asgwrn y gynnen, a Jâms O'Donnell, Llywydd Undeb y Myfyrwyr, yw gwraidd yr helynt. Mae'r Undeb wedi gwahardd Dr James Loveless Jnr rhag dod i'r campws i draddodi darlith. Gwyddonydd o America yw Loveless, sy'n enwog am ei theori fod 'newid hinsawdd' yn lledrith ac yn gynllwyn gan bobl asgell chwith. Dadl yr Undeb yw bod Loveless yn wyddonydd ffug, yn cael ei dalu gan gwmni olew mawr sy wedi dod yma i hau anghydfod. Dadl ei gefnogwyr yw bod y 'rhyddid i ddweud yr hyn a fynnwn' yn egwyddor sylfaenol. Dylai pawb wrando arno, a bod yn barod i drafod ei syniadau.

Beth fydd safbwynt y Brifysgol felly? Wel, hyd y gwela i, y dewis yw: (a) gresynu wrth weithred yr Undeb, ond cydnabod mai eu busnes nhw yw e, neu (b) waldio'r Undeb yn ddidrugaredd am eu gwaharddiad anfaddeuol. Dim marciau am ddyfalu p'un fydd dewis yr Athro Grimshaw!

20 Mai

Claddu newyddion drwg? Cadw'r clawr ar sgandal? Amhosib y tro yma. Galwodd yr IG fi i'w swyddfa ar frys y bore 'ma a dweud bod un o'r papurau pengoch ar fin cyhoeddi stori am ei ymweliad ag ogof amheus yn Llundain o'r enw Clwb Perseffone. Wnaeth e ddim manylu, ond doedd dim angen - gallwn ddychmygu'r olygfa. Beth fydden i'n awgrymu?, holodd e.

Dylai e gyfaddef popeth, meddais i, heb fynd i fanylion salw, ac ymddiheuro'n llawn – yn arbennig am ei ymddygiad siofinistaidd. Ond roedd e'n gyndyn iawn i wrando ar fy nghyngor. Byddai'n well 'da fe geisio cyfiawnhau ei hun.

Mae ofn arna i na fydd e'n para yn Is-Ganghellor yn hir iawn.

30 Mai

Digwyddodd rhywbeth od heddiw. Awgrymais i wrth yr Is-Ganghellor y dylen ni wneud sblash am y campws newydd yn Indonesia. Meddwl o'n i y byddai'n croesawu'r syniad, fel ffordd o dynnu sylw pawb oddi ar ei sefyllfa bersonol. Ro'n i'n ffyddiog, meddais i, y gallwn i lunio stori obeithiol, gadarnhaol.

'Stopiwch! Peidiwch â siarad am hynny byth eto!'

Newidiais i'r pwnc ar unwaith.

31 Mai

Dal i bendroni am beth ddigwyddodd ddoe. Pam bod y campws newydd yn destun mor sensitif? Erbyn meddwl, dy'n ni ddim wedi clywed fawr ddim am Swlawesi ers marwolaeth Diocletian Jones. Pam hynny? Gwell imi edrych yn ôl yn y ffeils, a gofyn ambell gwestiwn.

1 Mehefin

Wel, mae'r busnes Indonesia yma'n rhyfeddol. Efallai y dylen i roi caniad i Llŷr Meredydd – mae e'n hoffi datrys posau.

35

Roedd Ystafell y Senedd dan ei sang. Ddeng munud cyn dechrau'r cyfarfod doedd dim cadair ar ôl. Rhaid oedd i'r aelodau a ddaeth yn hwyr sefyll yn y cefn ac ar ymylon yr ystafell. Roedd y si wedi ymledu fel mellten bod rhywbeth gwerth ei glywed yn mynd i ddigwydd. Allai Menna ddim cofio pryd y gwelsai hi gynifer o fyfyrwyr yn bresennol, ac roedd aelodau staff yno na welwyd mohonynt yn y Senedd ers blynyddoedd. Wele Lisa â sgarff felen, lachar wedi'i lapio am ei gwddw, wyneb coch Eugene yn llosgi yn y rheng flaen, a Llŷr yn llonydd wrth ei ochr. Roedd golwg ddisgwylgar ar bawb ond Patricia Clampitt. Eisteddai hi ar ei phen ei hun gan sgriblo'n ffyrnig mewn llyfr nodiadau.

Am ddau o'r gloch yn union daeth yr Is-Ganghellor a'i osgordd i'r ystafell, pob un yn eu gwisgoedd academaidd ffurfiol. Gwelodd Menna Adelina Evans yn eu plith. Cadwai hithau ei phen i lawr, er mwyn peidio â dal llygad neb. Bu tawelwch llethol. Os oedd Roger Grimshaw yn synnu gweld y fath dorf, meddyliodd Menna, prin i'w wyneb ddangos unrhyw arwydd o hynny. Agorodd e'r cyfarfod.

Aeth yr eitemau cychwynnol ar yr agenda yn eu blaen fel arfer. Ond wrth gyrraedd yr eitemau diweddarach roedd hi'n amlwg i Menna fod Grimshaw yn ceisio ymestyn y cyfarfod, er mwyn gadael cyn lleied o amser â phosib ar gyfer 'Unrhyw Fater Arall', yn y gobaith y byddai'r rhan fwyaf o aelodau yn colli diddordeb ac ymadael. Parablodd yr Athro Guto Parri, hanesydd canoloesol, un o ffyddloniaid yr Is-Ganghellor a phedant eithafol wrth reddf, am ugain munud ar sut i wneud yn siŵr fod digon o fyfyrwyr newydd yn dod i'r Brifysgol. Byddai'n troi'n rheolaidd at y llwyth o bapurau yn ei becyn, a dyfynnu'n helaeth ohonynt. Nesaf, daeth traethawd hirwyntog arall, gan y Dr Hermione Trimmer-Jones, ar yr opsiynau gwahanol wrth ddewis arholwyr allanol. Cofiodd Menna fod Hermione yn arfer bod yn un o feirniaid Grimshaw, ond, wedi derbyn cynnig o swydd bwysig, broffidiol ganddo, newidiodd ei thiwn a throi'n sebonwraig ddigywilydd.

Os mai dyna oedd bwriad yr Is-Ganghellor, methodd ei gynllun. Er ei bod hi'n tynnu am hanner awr wedi chwech o'r gloch, doedd yr un o'r aelodau wedi symud o'i gadair. O'r diwedd cyrhaeddodd yr Athro Grimshaw eitem 32(a) ar yr agenda. Cyhoeddodd, mewn llais tagedig, fel petai ynganu'r geiriau yn achosi poen ingol iddo, 'Dr Llŷr Meredydd'.

[ANERCHIAD LLŶR]

Diolch yn fawr, Is-Ganghellor. Mae'n hwyr y prynhawn, a fydda i ddim yn cymryd mwy o'ch amser nag sy'n gwbl angenrheidiol. Rwy'n siŵr bod llawer o waith pwysig 'da chi i'w wneud eto heddiw. Ond mae gen i ychydig o bethau i'w dweud fydd o ddiddordeb i chi, o bosib, ac i bawb yma. Efallai bydd nifer ohonoch chi'n credu fy mod i'n trafod hanes – hanes amherthnasol – ond galla i'ch sicrhau fod gan yr hanes oblygiadau i chi i gyd yma heddiw.

Fe gofiwch chi mod i'n cymryd diddordeb, ers misoedd lawer, yn y ffordd y gwnaeth eich Is-Ganghellor blaenorol, yr Athro Diocletian Jones, ddod i ddiwedd ei oes. O'r cychwyn doeddwn i ddim yn argyhoeddedig mai damwain oedd ei farwolaeth, fel y derbyniodd pawb ar y pryd, gan gynnwys y crwner. Dechreuais i ymchwilio ac i holi unigolion perthnasol, gyda help arbennig fy nghyfaill Menna Maengwyn. Fe wnaethon ni lawer o waith, ond yn y diwedd, rhaid oedd inni ddod i'r casgliad bod dim tystiolaeth i Diocletian Jones gael ei lofruddio.

Felly damwain, wedi'r cyfan, oedd y farwolaeth? Wel, dyna oedd fy nghasgliad am sbel, cyn sylweddoli bod posibilrwydd arall.

Roeddwn i'n digwydd darllen rhan o hanes Edward Gibbon am yr ymerodraeth Rufeinig: y rhan sy'n disgrifio teyrnasiad Diocletian. Dyma'i frawddeg olaf am fywyd yr ymerawdwr hwnnw: 'A report, though of a very doubtful nature, has reached our times that he prudently withdrew himself by a voluntary death.' A oedd hi'n bosib tybed fod yr Is-Ganghellor o'r un enw wedi lladd ei hun?

Ddywedais i ddim byd wrth neb am y theori hon. Roedd hi mor annhebygol. Ond cafodd Menna sgwrs gyda Caroline Jones, gweddw Diocletian. Datgelodd Caroline fod cyflwr meddyliol ei gŵr, yn ystod dyddiau olaf ei fywyd, yn wahanol iawn i'r arfer. Roedd e'n ofnus iawn, fel petai e'n wynebu bygythiad neu argyfwng personol. Beth allai e fod? Ac os oedd rhywbeth wedi ysgogi'r Is-Ganghellor i roi terfyn ar ei oes, sut gallai rhywun brofi'r ffaith?

Penderfynais i fynd 'nôl i leoliad ei farwolaeth, y silffoedd symudol yn y Llyfrgell. Sylwais fod y cyfrolau ar y silffoedd yn y rheng lle bu corff Diocletian yn ymwneud â llenyddiaeth Sbaeneg. Dim syndod yn hynny. Llenyddiaeth Sbaeneg yr ugeinfed ganrif, fel y'ch chi'n gwybod, oedd ei faes ymchwil arbennig. Ond wedyn cofiais am y gwaith roedd e'n ei baratoi: erthygl am ddrama gan Federico García Lorca, *La casa de Bernarda Alba*. Edrychais ar y silffoedd. A dyna fe – argraffiad diweddar o'r gwaith hwnnw. I ddechrau welais i ddim byd o'i le, nes imi gofio taw diweddglo'r ddrama oedd testun erthygl Diocletian. Troiais i at y tudalennau olaf a syrthiodd dalen unigol o'r llyfr i'r llawr: neges fer mewn llawysgrif gyfarwydd. Mae copi ohoni yma. Darllenaf y cyfan ichi nawr.

8 Hydref 2015, 23:05pm

Annwyl – [does dim enw]

Feddyliais i erioed y byddai'n dod i hyn. Drwy gydol fy oes fe fuais i'n driw i un egwyddor sylfaenol – fy mod i'n gwybod, yn reddfol, beth i'w wneud. Nawr, am y tro cyntaf, wn i ddim beth sydd orau.

Rhaid cyfaddef fy mod i'n byw celwydd ers amser. Gwnes i'r hyn a wnes i am resymau dilys – er mwyn elwa'r Brifysgol. Y Brifysgol yw popeth imi. Rydw i a'r Brifysgol yn un endid. Does dim byd arall sydd o fawr bwys imi – hyd yn oed teulu a ffrindiau.

Ond alla i ddim gwadu'r celwydd rhagor. A bydd pawb yn gwybod amdano cyn hir, debyg iawn. Mae popeth ar ben. Does dim modd imi fyw gyda'r cywilydd. Gwell rhoi pen ar y cwbl ar unwaith.

'Tawelwch! Tawelwch, ddyweda i! Tawelwch!'

Diocletian Jones

Does dim amheuaeth felly. Lladdodd Diocletian ei hun yn staciau'r Llyfrgell. Sut llwyddodd i wneud hynny? Cofiwch ei fod yn gwybod bod nam trydanol ar y peiriant sy'n rheoli symudiad y silffoedd. Cofiwch hefyd ei fod yn beiriannydd trydanol profiadol cyn troi'n academydd. Roedd peirianwaith y silffoedd yn hawdd iawn iddo fe. Lleolwyd y panel ar ben y rhes. Mater syml i Diocletian oedd gosod y rheolydd fel bod y silffoedd yn symud tuag at ei gilydd, a tuag ato fe ei hun. Doedd y sensor ddim yn gweithio, felly o dipyn i beth gwasgodd y silffoedd metal – a'i lyfrau Sbaeneg annwyl – bob anadl o'i ysgyfaint. Wedyn, tawelwch. Dyfyniad, wrth gwrs, yw brawddeg olaf ei lythyr: llinell olaf Bernada Alba yn y ddrama gan Lorca. Dyw Bernada, fel Diocletian, ddim yn gallu goddef cydnabod y gwir.

A beth oedd y gwir? Y celwydd?

Mewn gair, Indonesia. Ro'n i ychydig yn amheus ers sbel am y campws newydd yn Swlawesi. Treuliodd Diocletian amser maith yna, ar sawl achlysur, ac ar ôl dod 'nôl byddai'n siarad yn aml am ei gynlluniau uchelgeisiol i godi'r coleg gorau yn ne-ddwyrain Asia. Ond faint ohonoch chi sy wedi teithio yno? Faint y'ch chi'n ei wybod am leoliad y coleg? Welsoch chi erioed unrhyw luniau ohono? Na, dim un ohonoch chi. Y gwir yw bod yr Is-Ganghellor yn gyndyn iawn i swyddogion y Brifysgol fynd allan i Indonesia, neu hyd yn oed i wybod llawer am y fenter. Petai rhywun yn gofyn, byddai'n dweud, 'Fi sy'n edrych ar ôl y datblygiad hwn, fi a'r partneriaid, LearnFast Global.'

Felly penderfynais i gysylltu, trwy e-bost ac wedyn ar y ffôn, â swyddog uchel yn y Weinidogaeth Addysg yn Indonesia. Roedd y fenyw, Megawati Wahid, yn helpus iawn. Roedd coleg bach yn arfer bod, meddai hi, yn ninas Palu. Daeth Diocletian a dynion eraill mewn siwts â chynnig i'r llywodraeth: troi'r coleg yn gampws mawr, yn sefydliad fyddai'n dyfarnu graddau Prifysgol Aberacheron. Addawodd yr Americanwyr o LearnFast Global fuddsoddi arian mawr yn y cynllun, os oedd y llywodraeth yn fodlon cefnogi yn ariannol hefyd. Daeth pawb i gytundeb. Dechreuodd yr adeiladwyr. O fewn dim codwyd nifer o adeiladau mawr ar y safle.

Ond wedyn aeth pethau o chwith. Dechreuodd penaethiaid LearnFast Global golli ffydd yn y fenter. Daethon nhw i gredu bod Diocletian wedi'u camarwain – am y nifer o fyfyrwyr fyddai'n debyg o fynychu, am werth graddau Prifysgol Aberacheron ac am yr elw fyddai'n dod o'r coleg. Sychodd y llif ariannol. Daeth y gwaith adeiladu ar y campws i stop. Bu ymgais i adfywio'r cynllun, ond yn ofer. Heddiw, meddai Megawati, dim ond ychydig o flociau concrit ar eu hanner sy'n dal i sefyll ac mae'r goedwig yn dechrau ailfeddiannu ac ail-wyrddio'r safle.

Dyna felly oedd celwydd Diocletian. 'Nôl yma yn Aberacheron, allai e ddim cyfaddef bod ei gynllun wedi methu. Byddai'n dal i adrodd, wrthoch chi ac wrth y Cyngor, bod y campws yn tyfu, ac y byddai'r myfyrwyr cyntaf yn cychwyn ar eu cyrsiau yn ystod y flwyddyn nesaf. Byddai dweud y gwir wrthoch chi yn gyfystyr â dinistrio ei awdurdod – tanseilio ei honiad taw dim ond Diocletian Jones a allai sicrhau dyfodol llewyrchus i'r Brifysgol.

Bydd rhai ohonoch chi'n gofyn y cwestiwn, fel y gwnes i, pam bod Diocletian wedi dewis lladd ei hun pan wnaeth e? Mae'r ateb i'r cwestiwn yn eistedd yn y rhes flaen fan 'cw. Ie, yr Athro Patricia Clampitt. Roedd hi yn y Llyfrgell ar noson marwolaeth yr Is-Ganghellor. Ry'n ni'n gwybod iddi gael sgwrs ag e. Ei stori wreiddiol oedd ei bod hi'n awyddus i siarad ag e am ymddygiad yr Athro Roger Grimshaw. Ond mewn cyfweliad 'da fi ychydig ddyddiau 'nôl, dywedodd rywbeth gwahanol. Aeth hi i'r Llyfrgell i gornelu Diocletian a'i rybuddio: ei bod hi'n gwybod y gwir am y coleg yn Indonesia. Roedd Patricia, fel fi, yn amau bod rhywbeth o'i le, ac roedd wedi gwneud peth ymchwil a datgelu'r anwiredd.

Ond dywedodd hi rywbeth arall. Fe wnaeth hi fygwth yr Is-Ganghellor, gan addo y byddai'n cyhoeddi ei gelwydd oni bai ei fod yn tynnu Roger Grimshaw oddi ar ei dîm hŷn. Ond doedd Diocletian ddim yn gallu cydsynio â hynny – hyd yn oed petai'n dymuno – am reswm syml. Roger Grimshaw oedd yr unig un yn Aberacheron oedd yn rhannu ei gyfrinach am y coleg yn Swlawesi. Yn ôl Megawati, fe oedd y prif gyswllt rhwng Prifysgol Aberacheron, llywodraeth Indonesia a chwmni LearnFast Global.

Felly y'ch chi, Mr Is-Ganghellor, yn byw celwydd hefyd. Ry'ch chi'r un mor ymwybodol ag oedd Diocletian o dranc y coleg. Chi hefyd wedi taflu llwch i'n llygaid, gan roi'r argraff bod pob dim yn iawn yn Indonesia. Yn ôl pob tebyg roeddech chi'n gobeithio y byddai pawb yn anghofio am y coleg yn Swlawesi. Ddywedoch chi ddim byd amdano'n ddiweddar. Mwy na hynny dywedoch chi wrth y Swyddog Cyfathrebu, Cassandra Evans, am beidio â rhoi unrhyw gyhoeddusrwydd i'r campws. Ond doeddech chi ddim yn gwybod bod Patricia Clampitt yn rhannu eich anwiredd, ac roeddech chi'n weddol siŵr y byddai'ch cyfrinach yn ddiogel.

Gyda llaw, ymchwiliais i i fanylion LearnFast Global – peth anodd ei wneud achos fod y cwmni yn gyndyn i ryddhau gwybodaeth am ei fusnesau. Des i o hyd i'r rhestr Cyfarwyddwyr. Roedd un enw yn tynnu sylw: yr Athro Roger Grimshaw. Fe fydd rhai ohonoch chi, aelodau'r Senedd, yn tybio y dylai'r awdurdodau ddechrau archwiliad swyddogol i faterion ariannol personol ein Is-Ganghellor.

Ac o bosib fe ddylech chi, aelodau'r Senedd, wybod un peth arall am yr Athro Grimshaw. Methodd llawer ohonoch, a'r myfyrwyr, â deall pam ei fod mor awyddus i ochri gyda'r Gweinidog Addysg o blaid uno Prifysgol Aberacheron a Phrifysgol Aberlethe. Ar ôl gwneud ymchwil yn y Brifysgol yn Aberlethe, ffeindiais i allan fod yr Is-Ganghellor yno, George Plumtree, wedi dod i gytundeb anffurfiol â Grimshaw: y byddai e, Plumtree, yn defnyddio ei ddylanwad i wneud yn siŵr fod Grimshaw yn ei ddilyn fel Is-Ganghellor y brifysgol unedig – os oedd Grimshaw yn fodlon cefnogi'r syniad. Mae hynny'n esbonio pam bod y ddau'n ffrindiau mynwesol pan gawson nhw eu gweld yng Nghlwb Perseffone yn Llundain y noson fythgofiadwy 'na.

Aelodau'r Senedd, mae fy ngwaith i ar ben. Dyletswydd pobl eraill yw cymryd y camau nesaf. Dyna i gyd 'swn i'n awgrymu yw bod rhywun yn mynd i weld Caroline Jones, druan – a rhywun arall yn cadw llygad barcud ar yr Athro Grimshaw, rhag ofn bod mwy o waed yn cael ei golli.

[DIWEDD ANERCHIAD LLŶR]

Bu cynnwrf mawr yn syth ar ôl i Llŷr eistedd. Cododd yr Is-Ganghellor ei law i dawelu'r Senedd.

'Diolch am eich cyflwyniad, Dr Meredydd. Fydd dim trafodaeth. Gan fod dim byd pellach ar yr agenda, mae'r cyfarfod hwn ar ben.'

Cododd Grimshaw a brysiodd o'r ystafell ar unwaith. Rhuthrodd Patricia Clampitt i ffwrdd hefyd, cyn bod neb yn gallu siarad â hi. Welodd neb mohono'r ddau ar y campws am ddyddiau.

Drannoeth, cyhoeddwyd y byddai cyfarfod brys, arbennig o Gyngor y Brifysgol cyn diwedd yr wythnos. Un eitem fyddai ar yr agenda: 'Dyfodol yr Is-Ganghellor'.

36

Swyddfa'r Is-Ganghellor

At holl staff Prifysgol Aberacheron

13 Mehefin 2016

Annwyl gyfaill

Yr Athro Roger Grimshaw

Ddoe cyhoeddodd Cyngor y Brifysgol y datganiad hwn:

'Mae Cyngor Prifysgol Aberacheron wedi penderfynu diswyddo'r Athro Roger Grimshaw o'i swydd fel Is-Ganghellor ar unwaith. Gofynnwyd iddo adael y campws a pheidio â dychwelyd heb ganiatâd y Cyngor.

At hynny, penderfynwyd cynnal archwiliad mewnol i hanes campws newydd y Brifysgol ar ynys Swlawesi, o dan ofal Cadeirydd y Cyngor a'r Athro Patricia Clampitt.

Mae'n bosibl hefyd y bydd gan yr heddlu ddiddordeb mewn agweddau ar faterion ariannol yr Athro Grimshaw. Os felly, bydd y Brifysgol yn barod iawn i gydweithio â'r heddlu.'

Yn ôl pob tebyg bydd y newyddion hyn yn peri sylw yn y cyfryngau, ond ni fydd datganiad pellach gan y Brifysgol am y tro.

Mae'n dda gennyf ddweud mai fi fydd yn llenwi swydd yr Is-Ganghellor, nes bod Cyngor y Brifysgol yn penodi Is-Ganghellor dros dro. Os oes gennych ymholiadau am y trefniadau newydd, croeso ichi gysylltu â mi.

Yn gywir iawn,

Adelina Evans

Prif Swyddog Gweithredu

37

Bore cynnes, heulog arall yn y Mall, ac roedd Menna yn ei safle arferol amser coffi. Wedi'r arholiadau roedd y rhan fwyaf o'r myfyrwyr wedi diflannu i'r traethau a'r tafarnau. Yr unig rai ar ôl ar y campws oedd yr ychydig oedd yn amau eu bod wedi gwneud llanastr o'u papurau ac y byddai'n rhaid iddynt ailsefyll yr arholiadau, a llond dwrn o swotiaid anghymdeithasol na allent lusgo eu hunain o'r Llyfrgell. Gwelodd Menna ffigwr cyfarwydd yn cerdded tuag ati – un, meddyliodd, oedd yn perthyn i'r ddau grŵp hyn o fyfyrwyr. Stan Oldham oedd e.

Wrth iddo nesáu sylwodd Menna fod rhywbeth o'i le ar Stan. Doedd e ddim yn gwisgo gwasgod na thei, am unwaith roedd golwg radlon ar ei wyneb ac roedd yn camu'n sionc. Yn amlwg roedd e'n awyddus i siarad.

'Stan, diwrnod i'r brenin, on'd ife?'

'Wel, alla i ddim anghytuno, am unwaith.'

'Chi'n edrych yn eithriadol o siriol, os ga i ddweud, Stan.'

'Ydy e mor amlwg â 'nny? Mae rhywbeth mawr wedi digwydd i fi. Mae fy myd wedi'i droi wyneb i waered.'

'Pam 'nny?'

'Galla i fod yn gwbl onest 'da chi, achos eich bod chi'n agos iawn, dwi'n gwbod, i Dr Meredydd. Rhaid imi gyfadde, ro'n i wastad yn ddrwgdybus ohono fe. I mi roedd e'n perthyn i oes a fu, oes sosialaidd hen ffasiwn – yn ochri bob tro gyda'r myfyrwyr radical yn y dosbarth, ac yn rhy barod i ladd ar awdurdodau'r Brifysgol. Ond yn ddiweddar syrthiodd y cen oddi ar fy llygaid. Galla i weld yn glir nawr, diolch i'r holl waith ymchwilio gan Dr Meredydd a chithau, par mor naïf o'n i i gredu bod dyn yn haeddu parch dim ond oherwydd ei statws. Twyllwr oedd yr Athro Jones, a dihiryn yw'r Athro Grimshaw. Dyna'r gwir plaen.

'Dwi'n sylweddoli nawr bod fy mywyd o'r blaen yn ffuglen, yn gelwydd noeth. Dim ond adwaith plentynnaidd i'r ffordd ces i fy magu, i Mam a Dad a phawb yn y teulu. Ro'n nhw'n teimlo cywilydd ohona i – gyda da reswm, o edrych 'nôl. Ond gwell hwyr na hwyrach. Mae cyfle 'da fi nawr i ailfeddwl pob un o fy hen gamsyniadau, ac i ddechrau o'r dechrau.

'Mae beth ddigwyddodd ddoe, y bleidlais i adael yr Undeb Ewropeaidd, wedi selio'r cyfan. O'r blaen ro'n i fel unrhyw Brydeiniwr bach, yn erbyn Ewrop wrth reddf, yn ddifeddwl. Nawr dwi'n gweld bod hynny'n gwbl ffôl. Mae'n wallgo ein bod ni'n gadael.

'Miss Maengwyn, peidiwch â dweud dim. Does dim angen. A does dim amser chwaith: fi ar fy ffordd i ymuno â'r Gymdeithas Sosialaidd.'

Roedd y wên ar ei wyneb o hyd wrth i Stan droi ar ei sawdl a charlamu i lawr y Mall tuag at adeilad yr Undeb. Safodd Menna'n stond. Roedd hi'n dal i sefyll ac i bendroni dros y dröedigaeth annhebyg hon pan welodd hi Bronwen Glyndŵr yn dod tuag ati o gyfeiriad y Plas.

'Menna, o'n i'n gobeithio dy ddal di, cyn bod yr hen Lyfrgell yn dy lyncu di 'to. Mae gen i newyddion da iti.'

'O gyfarfod y Cyngor, debyg iawn?'

'Yn gwmws. Mae'r cyfarfod newydd ddod i ben. Mae'r aelodau wedi penderfynu penodi Is-Ganghellor dros dro.'

'Oes hawl 'da ti ddweud yr enw?'

'Oes. Eto, newyddion da gobeithio. Lisa Williams.'

'Rhagorol! Dewis call.'

'Fe wnaethon ni benderfyniad arall, diddorol: creu swydd newydd, Dirprwy Is-Ganghellor. Ac i lenwi'r swydd, neb llai na Dr Llŷr Meredydd. Neu'r Athro Llŷr Meredydd, i roi iddo'i deitl newydd.'

'Llŷr? Anhygoel. Ydy e'n gwbod?'

'Y ddau newydd dderbyn y cynnig ac wedi cytuno i wasanaethu'r Brifysgol. Byddan nhw'n siŵr o fod yn dîm arbennig. Roedd Adelina Evans yn y cyfarfod, ac am y tro cynta ers blynyddoedd fe welais i wên ar ei hwyneb. Bydd pawb yn y Brifysgol yn hynod falch o glywed am y cyhoeddiad. Mae'n wobr haeddiannol i Llŷr ar ôl ei waith.'

'Dwi bron â marw eisiau siarad 'da fe.'

'Menna, dylet ti fod yn browd iawn o dy ran di yn y stori. Heb'ot ti fyddai'r gwir fyth wedi gweld golau dydd. Roedd awyrgylch gwahanol yn y Cyngor heddiw. Pawb yn hapus ac yn ffyddiog bod pethau ar i fyny o'r diwedd, nawr bod teyrnasiad Roger Grimshaw ar ben. Gyda llaw, sylwais i fod portread Grimshaw, yr un oedd yn arfer hongian ar y wal yn Ystafell y Cyngor, wedi diflannu. Ti'n cofio'r llun? Yr Is-Ganghellor yn eistedd yn ei wisg academaidd, ac yn syllu i'r pellter â golwg imperialaidd at ei wyneb? Holais i Adelina, ond dywedodd hi nad oedd penderfyniad wedi'i wneud i'w symud. Mae si ar led taw'r myfyrwyr sy wedi'i ddwgyd, a'u bod nhw'n gofyn am bridwerth cyn eu bod nhw'n ei roi e 'nôl i'r Brifysgol. O leia mae gobaith o weld y portread eto. Ond fydd Grimshaw byth yn dod 'nôl yma. Clywon ni fod yr heddlu am gyfweld sawl un am droseddau ariannol ynghlwm â'r campws yn Swlawesi. Synnwn i ddim tasai'r dyn yn diweddu yn y carchar. Fel Diocletian Jones, o bosib, tasai fe wedi byw.'

'Mae hynny'n fy atgoffa i, Bronwen. Ar ôl cyfarfod y Senedd es i i weld Caroline Jones. O'n i'n meddwl y byddai clywed y gwir am farwolaeth ei gŵr ar y teledu yn ormod o sioc iddi, yn eistedd yn y tŷ mawr unig yna. Ond i'r gwrthwyneb. Yn wahanol i'r tro cynta gwelais i hi, roedd hi'n ddigyffro ac yn hunanfeddiannol. "Diolch am roi gwybod imi," meddai, "mae'n gysur gwybod y rheswm dros gyflwr meddyliol, cythryblus Deio yn y cyfnod cyn ei farwolaeth." Ces i'r argraff ei bod hi'n dechrau dod i delerau â'r gorffennol, ac yn edrych ymlaen at fywyd newydd. Dywedodd ei bod hi am werthu The Beeches a symud o Aberacheron.'

'Amser inni i gyd roi'r gorffennol y tu ôl inni, dwi'n credu, a chynllunio at ddyfodol gwell.'

'Digon gwir. Gwell imi fynd 'nôl i'r gwaith, Bronwen.'

*

'Neges arall ichi,' meddai Twm, yn y Llyfrgell.

'Paid â dweud, mae'r silffoedd newydd wedi torri. Pryd mae'r gweithwyr yn dod 'nôl i'w trwsio?'

'Nage, Menna. Newyddion gwell y tro yma. Mae'r Llyfrgell wedi ennill gwobr genedlaethol, y Llyfrgell Academaidd Orau 2015. Ein myfyrwyr, mae'n debyg, oedd yn gyfrifol am ein henwebu.'

'I ddiolch am gael gwared ar yr hen Is-Ganghellor, dwi'n cymryd?'

'Dim o gwbl. Ro'n nhw'n dymuno i ni gael ein cydnabod am safon ein gwasanaeth. A ti'n arbennig, Menna, yn ôl y dyfarniad, am arwain y lle yma mewn ffordd ysbrydoledig. Dyna'r union air.'

'Wel wel! Am syndod!'

'Ac maen nhw am iti fynd i Lundain i noson arbennig a derbyn y wobr yn bersonol.'

'Does dim diwedd i'r newyddion da, oes e?'

'Nôl yn Nith yr Eryres aeth Menna i'r silff a chodi'r penddelw efydd o'r Llyfrgellydd cyntaf, Dr Hywel ap Rhys. Bu'n ysgolhaig disglair, ac yn hynod o nodedig am ei ymchwil arloesol ar Dafydd ap Gwilym. Aeth Menna i eistedd yn ei chadair esmwyth, gan osod y cerflun yn ofalus ar ei phengliniau.

'Wel, Hywi boi,' meddai, gan syllu'n ddwys i lygaid Dr ap Rhys, 'y'ch chi a fi wedi gweld llawer o ddigwyddiadau rhyfedd yn ein hamser. Ond y'ch chi wedi profi'r fath beth erioed? Mae'n bosib. Wedi'r cyfan, fe fuoch chi yn yr ystafell hon am dros bum mlynedd ar hugain. Ond go brin i chi gael eich hun yng nghanol chwyldro fel yr un sy newydd fod.

'Chi'n dawel iawn. Dim byd i'w ddweud, Syr? O'n i'n amau. Dwi'n gwbod 'ych bod chi yma mewn oes arwrol, pan oedd y Brifysgol yn fach ac yn fregus, ac yn gorfod ymladd dros ei bodolaeth. Ond o leiaf bryd 'nny gallech chi gymryd fod pawb yma'n gweithio'n ddihunan, er lles y sefydliad a'r gymdeithas. Dynion mawr o'n nhw yn yr oes 'na. Dynion i gyd wrth gwrs, dim menywod. Dynion penstiff, ffroenuchel. Ond dynion onest. Fydden nhw byth yn meddwl dwyn arian neu guddio celwyddau. Fydden nhw ddim yn trin eu cyd-weithwyr fel petaen nhw ddim yn cyfrif, yn credu ei bod hi'n iawn i'w taflu nhw ar y domen.

'Na, Hywi bach, o'ch chi'n lwcus. Dim marwolaeth sydyn yn yr adeilad yn eich amser chi. Dim rheolwyr gormesol. Dim ansicrwydd cyson. Dim contractau *zero hour.* Dim silffoedd symudol. Na, ac roedd pethau mor dawel bod digon o amser 'da chi i sgriblo llyfrau am feirdd Cymraeg, marw.'

Roedd Menna yn ailosod Dr ap Rhys yn ei briod le pan gnociodd Twm ar y drws. Roedd Dr Meredydd yma: oedd digon o amser 'da hi i'w weld?

'Yr Athro Meredydd, dere i mewn!'

'Menna, des i'n syth o gyfarfod gyda Chadeirydd y Cyngor, a Lisa. O'n i'n moyn iti wybod ar unwaith, ond fel arfer ti'n gwbod eisoes. Dywedodd y Parch. Jones wrthon ni fod aelodau'r Cyngor yn unfrydol y dylai'r ddau ohonon ni fod yn gyfrifol am arwain y Brifysgol, a chau pen y mwdwl ar gyfnod cythryblus.'

'Dwi mor falch ohonot ti, Llŷr, ti'n haeddu swydd fel hon.'

'Diolch, Menna. Mae'n mynd i fod yn newid mawr imi. Bydd rhaid imi dorri fy ngwallt yn fwy rheolaidd, a gwisgo siwt, a mynd i lawer o gyfarfodydd. Ond dwi'n addo na fydda i'n sefydlu campws newydd na dargyfeirio arian y Brifysgol i 'mhocedi i.'

'Ond wyt ti'n barod i neidio dros y ffens, fel un oedd wastad yn amheus o awdurdod, ac ymuno â'r pwerau mawr?'

'Wel, y gamp fydd dysgu sut i arwain heb fradychu fy hen egwyddorion. Fyddi di'n ddigon parod i fy atgoffa am y rheini, mae'n siŵr.'

'A fydd dim prinder problemau yn dy ffordd.'

'Digon gwir. O leia fyddwn ni ddim yn gorfod becso am ein cyfaill, Yr Athro Grimshaw. Mae'n debyg y bydd e'n ymddangos o flaen ei well cyn hir, meddai'r Parch. Jones, ar sawl cyhuddiad o ladrata arian o goffrau'r Brifysgol.'

'Mae llawer o bobl fydd yn falch o gael anghofio am yr enw Grimshaw. O leia roedd Diocletian yn difaru am ei droseddau.'

'Rhaid imi fynd, Menna, i gyfarfod cynta y prynhawn. Ac wedyn i feddwl beth i'w ddweud pan fydda i'n annerch y graddedigion yn y seremoni raddio: mae Lisa wedi gofyn imi ei helpu. Fe wela i ti nes mlaen.'

'Iawn.'

Cododd Llŷr a cherdded tua'r drws.

'Llŷr, oes rhywbeth ti moyn gofyn imi?'

'Oes e?'

'Rhywbeth pwysig. Amdanon ni?'

'Ti yn llygad dy le, fel arfer. Menna. Mae gen i gwestiwn. Fyddet ti'n fodlon byw gyda mi? Yn yr un tŷ? Fel cwpwl?'

'Bydden!... Hwyl nawr – byddi di'n hwyr.'

'Hwyl, sosej.'

38

Prifysgol Aberacheron
Seremoni Raddio
20 Gorffennaf 2016

Anerchiad i raddedigion y Brifysgol gan y Dirprwy Is-Ganghellor

Raddedigion, mae heddiw yn ddiwrnod mawr i chi i gyd. O bosibl, y diwrnod pwysicaf hyd yma. Llongyfarchiadau i bob un ohonoch chi ar astudio yn y Brifysgol hon ac ennill eich graddau. A diolch i'ch teuluoedd a'ch ffrindiau sy wedi rhoi cymorth a chefnogaeth ichi trwy'r blynyddoedd.

Hoffwn ddweud ychydig o bethau fydd, gobeithio, yn ddefnyddiol ichi.

I ddechrau, beth yw arwyddocâd heddiw - ystyr eich gradd? Fe fydd llawer yn dweud wrthoch chi mai math o basbort yw hi: ffordd o gael gweithio i gwmni mawr ac ennill llawer o arian, a bod yn 'llwyddiant'. I rai ohonoch chi, mae'n siŵr, dyna'r gwir - a phob lwc i chi. Ond cofiwch mai dim ond un syniad yw hwnnw - eich bod chi'n talu i fynd i brifysgol dim ond er mwyn ennill arian sylweddol i chi'ch hunan. Yn y gorffennol - cyn bod rhaid i bawb dalu am addysg uwch - roedd gan bobl nifer o resymau eraill dros ddod i brifysgol. Un oedd chwilio am wybodaeth, i fod yn hyddysg ac yn ddoeth. Un arall oedd er mwyn gwneud lles i'ch cyd-ddyn, i gyfrannu at wella'r byd.

Dwi'n siŵr bod llawer ohonoch yn cael eich ysgogi gan y meddyliau hyn. Carwn i eich sicrhau eich bod chi'n iawn. Er gwaetha'r hyn byddwch chi'n clywed gan rai, dyw prifysgolion ddim yn bod er mwyn cynhyrchu dosbarth breintiedig o blwtocratiaid. Dyw gradd ddim yn basbort economaidd i unigolyn a dim byd arall. Mae'n ffordd o gyfoethogi cymdeithas, o helpu unigolion i wireddu eu potensial a gwneud eu rhan er budd pobl eraill. Felly, peidiwch â meddwl eich bod chi'n 'fethiant' os byddwch chi'n ennill llai na £150,000 y flwyddyn. Byddwch chi'n fwy llwyddiannus o lawer os ydych chi'n gwneud gwaith sy'n werthfawr i bobl eraill.

Ar ôl ichi adael y Brifysgol, dwi'n mawr obeithio na fyddwch chi'n anghofio amdani. Mae'n wir fod Prifysgol Aberacheron wedi mynd trwy gyfnod anodd yn ddiweddar. Dwi'n mynd i siarad yn blaen iawn wrthoch chi nawr. Yn ystod y blynyddoedd diwethaf collodd y sefydliad hwn ei ffordd. Anghofiodd am ei egwyddorion sylfaenol, ac am wir amcanion prifysgol – i helpu pobl i ddysgu ac i fagu cariad at ddysgu, i feddwl yn feirniadol am y byd, i hybu dysg a gwybodaeth, i fod yn rhan o'r gymuned leol, o gyfrannu at iechyd ein cymdeithas. Yn lle hynny, nod ein harweinwyr oedd ennill arian a statws. Roedden nhw'n hoff iawn o gystadlu yn erbyn prifysgolion eraill. Doedd y myfyrwyr na'r staff o fawr bwys iddynt. 'Cwsmeriaid' oeddech chi, yn hytrach na dysgwyr neu gyn-aelodau o'r gymuned academaidd, ac unig bwrpas eich addysgu oedd bwydo anghenion yr economi. Roeddent yn ymddwyn fel pe bai'r Brifysgol yn gwmni preifat, yn gweithredu mewn marchnad 'rydd' – codi canghennau newydd dramor, rhoi addysg yn nwylo cwmnïau rhyngwladol mawr, talu cyflog anferthol i'r Is-Ganghellor.

Erbyn heddiw ry'n ni'n gwybod bod yr arweinwyr hyn yn llai nag onest, a dweud y lleiaf. Ond mae'r dynion hynny wedi gadael y llwyfan. Mae'r Brifysgol yn newid. Rydyn ni'n cychwyn ar bennod newydd yn ein hanes. Galla i addo i chi nawr: cyhyd â bod yr Is-Ganghellor newydd, Yr Athro Lisa Williams, a fi wrth y llyw, fe fydd y Brifysgol yn glynu wrth y safonau uchaf posib, ac yn cofleidio egwyddorion academaidd dilys unwaith eto. Gallwch chi deimlo'n falch iawn o gael eich gradd o Brifysgol Aberacheron.

Felly, camwch allan i'r byd mawr yn hyderus, gan wybod eich bod wedi elwa o fod yn fyfyriwr neu'n fyfyrwraig yma. Gwnewch eich gorau i wasanaethu yn ogystal â gwneud bywoliaeth. A chadwch le bach yn eich calon i Brifysgol Aberacheron.

39

Hanner awr wedi saith o'r gloch y bore. Doedd neb arall yn yr adeilad eto: diwedd yr haf oedd hi, a'r Brifysgol yn dawel. Brasgamodd ffigwr mewn siwt dywyll ac esgidiau sgleiniog i lawr carped coch prif góridor y Plas, a datgloi drws yr ystafell fawr yn y pen pellaf. Ar flaen y drws roedd rhywun wedi gosod arwydd newydd:

Yr Athro Llŷr Meredydd
Dirprwy Is-Ganghellor

Flwyddyn yn ôl, ystafell Roger Grimshaw oedd hon. Byddai derbyn gwahoddiad i ymweld â hi'n peri i ias o arswyd saethu trwy gorff unrhyw un. Ond heddiw doedd dim llun na lliw ohono; roedd fel petai e erioed wedi bod. Ei gartref newydd oedd cell yn HMP Aberlethe. Roedd hi'n annhebyg, meddyliodd Llŷr, y byddai cyfle iddo addurno'r waliau â'r lluniau mawr gan artistiaid ffasiynol oedd yn arfer bod yn yr ystafell hon.

Daeth tro ar fyd Llŷr ers i Grimshaw ddiflannu o'r campws. Wedi gwerthu ei fflat symudodd i mewn i dŷ Menna. Am y tro cyntaf ers blynyddoedd dychwelodd llawenydd i'w fywyd. Yr unig drueni oedd bod y ddau ohonynt heb benderfynu byw gyda'i gilydd amser maith yn ôl. Dros y Sul byddent yn crwydro ar lannau afon Acheron gyda'r nos, law yn llaw, fel petaent yn gariadon ifainc wedi gwirioni, gan oedi bob hyn a hyn i syllu i lygaid ei gilydd.

Am gyfnod daeth y swydd newydd â boddhad i Llŷr hefyd. O fewn wythnos derbyniodd lythyr prin oddi wrth ei fam. Y tair brawddeg allweddol oedd, 'O'r diwedd, Llŷr, dyma swydd o bwys, swydd sy'n addas i dy ddoniau. Uffach wyllt, o'n i'n dechrau anobeithio byddet ti fyth yn dianc rhag dy blydi *sociology*. Gobeithio fod yr hen ddiawliaid yn talu digon iti.' (Wrth i'w fam heneiddio, tueddai ei geirfa i fod yn ddilywodraeth.) Roedd hi'n llygad ei lle am adael y gwaith academaidd. Roedd Llŷr yn barod i gyfaddef bod gallu rhoi'r gorau i'r llyfr ar droseddau cyfrifiadurol yn un o fanteision mawr y swydd newydd. Gadewch i Gene Drinkwater slafo bant ar ei ymchwil am ugain mlynedd arall cyn iddo gael hawlio ei ymddeoliad, meddyliodd, ond fydda i ddim yn cyffwrdd â dyfyniad na throednodyn na llyfryddiaeth byth eto.

Bu'n rhaid i Llŷr wneud ambell gyfaddawd ar ôl cychwyn ar ei swydd newydd. Mynnodd Lisa ei fod yn gwisgo siwt i'r gwaith, er na fyddai'n gwisgo tei, oni bai bod ymwelydd pwysig yn dod i'r campws. Un o'i dasgau oedd areithio: roedd i fod i ddangos testun pob anerchiad i Cassandra Evans yn yr Adran Gyfathrebu, rhag ofn bod y drafft yn cynnwys rhywbeth amheus neu beryglus. Yn yr ystafell ddrws nesaf eisteddai Ms Mei Thomas, ei PA, a bu'n rhaid iddo ddysgu sut oedd bwydo gwaith iddi a chydymffurfio â'i dyddiadur swyddogol. Roedd hi'n rheoli pwy fyddai'n cael siarad ag e, ac yn anaml, y dyddiau hyn, fyddai rhywun yn pasio heibio ar hap neu'n rhoi ei ben rownd y drws yn gymdeithasol, fel yn yr hen ddyddiau yn Ysgol y Gyfraith.

Ie, bywyd newydd oedd hwn, ym mhob ffordd, a bu'n rhaid i Llŷr ymaddasu iddo. Ac weithiau byddai'n hiraethu am yr amser syml a fu, yn arbennig ar ddyddiau pan oedd e'n gorfod gwneud penderfyniadau anodd. Roedd y rheiny'n dod yn amlach, wrth i broblemau'r Brifysgol fynd yn fwy.

Troes Llŷr i'w gyfrifiadur. Arhosai dros hanner cant o e-byst iddo. Roedd canran ohonynt yn gopïau, wedi'u hanfon i'w hysbysu am benderfyniadau gan eraill. Roedd y lleill yn gofyn iddo am benderfyniad personol, pob un yn disgwyl ateb ar unwaith, neu cyn hynny.

Aeth awr a mwy heibio cyn cyrhaeddodd Mei. Daeth hi trwy'r drws.

'Chi ddim wedi anghofio am y cyfarfod Cabinet bore 'ma?'

Y Cabinet oedd yr enw newydd ar gylch mewnol yr Is-Ganghellor; y cyfarfod hwn oedd y tro cyntaf i'r aelodau gwrdd ers deufis: roedd e'n argoeli i fod yn un difrifol.

'Nac ydw, Mei.'

'Nac am eich ymarfer corff arferol?'

'O! O'n i'n barod i anghofio am hwnnw heddiw. Ond does dim dewis 'da fi nawr, Mei.'

Roedd Llŷr wedi addo i Menna y byddai'n colli pwysau trwy redeg o amgylch y Parc deirgwaith yr wythnos. Doedd dim amdani ond gwisgo ei sgidiau rhedeg, siwt Leicra, potel ddŵr, clustffonau a watsh glywed-curiad-calon. Anelodd am gatiau'r Parc heb i neb gael cipolwg ohono. Ei fwriad wedyn oedd loncian ar hyd y llwybr o gwmpas y llyn ac i fyny at y gerddi botanegol. Ar yr adeg yma o'r dydd dim ond ychydig o gerddwyr oedd i'w gweld, pensiynwyr â'u hen gŵn gwichlyd, a llond dwrn o redwyr, merched ifanc i gyd, pob un â gwisg liwgar, symudiad sionc a chwimder mawr, fel eu bod allan o olwg Llŷr o fewn eiliadau. Erbyn cyrraedd y gatiau ar ben y parc roedd e wedi colli ei wynt bron yn llwyr, a rhyddhad oedd cael cipolwg ar ddyn cyfarwydd oedd yn hercian yn araf o'i flaen, a chael esgus i dynnu anadl.

'Quigley! Pwy fyddai'n meddwl? Dau ddyn yn ceisio dianc o grafangau'r Hen Ŵr Amser. Sut mae'r hwyl?'

'Ddim yn farw eto, Meredydd, ond ddim yn bell iawn chwaith.'

'Ti allan o dy gynefin arferol. Y cwrt sboncen, dwi'n meddwl.'

'Dim dewis. Tynnais i fy *Achilles*, weli di, fis yn ôl. Chwarae yn erbyn y corgi bach 'na, Davies o Sŵoleg. O'n i chwe phwynt i lawr ar y pryd. Trial tyrchu'r bêl mas o gornel y cwrt. Ping! A dyna fe. Yn gloff ar unwaith. Ffaelu cerdded am ddyddiau. Blydi rhedeg. Mae'n gas 'da fi redeg. Ond dyna'r ffordd gywir, medd y doctor, o fod yn holliach 'to. Wedyn bydda i'n dysgu gwers i'r cocyn Davies yna.'

Cofiodd Llŷr fod Quigley yn arfer bod yn gyrnol yn y Fyddin Brydeinig cyn ymuno â'r Brifysgol, a dyna pam fod ei dymer a'i frawddegau ill dau'n fyr iawn.

'O leia ti'n anadlu awyr iach yma yn y parc, yn hytrach na mwg chwyslyd y cwrt sboncen.'

'Am wn i. Ond beth amdanat ti? Ti ddim yn arfer cosbi'r corff, wyt ti?'

'Dan orchymyn. Rhaid gwneud rhywbeth, achos y dyddiau hyn dwi'n hala gormod o amser tu ôl i ddesg ac mewn cyfarfodydd.'

'Wrth gwrs, y job newydd, y "barchus, arswydus swydd". Gobeithio ei bod hi'n dod â phleser iti.'

'Ydy, sbo.'

'Ti ar ochr arall y ffens i'r gweddill ohonon ni nawr, on'd wyt?'

'Beth ti'n feddwl?'

'Un ohonyn *nhw* – un o'r swyddogion. Ti ddim yn sowldiwr preifat bellach.'

'Wel, dwi i erioed wedi meddwl amdana i fy hun fel–'

'Beth dwi'n meddwl yw... Beth yw'r ymadrodd 'na gan yr Arglwydd Acton? "Mae pŵer yn llygru dyn."'

Ni arhosodd Quigley am ateb, ond ar ôl rhoi tyliniad garw i'w ffêr dechreuodd loncian ar hyd y llwybr, gan geisio cofio'r geiriau oedd yn gorffen dyfyniad yr Arglwydd.

*

Cychwynnodd Lisa'r cyfarfod am ddau o'r gloch ar ei ben.

Saith o bobl oedd yn ystafell yr Is-Ganghellor. Dyna oedd y Cabinet. Yn ogystal â Lisa, Llŷr, Adelina Evans – ei theitl newydd oedd 'Cofrestrydd', hen air hyfryd – y Cyfarwyddwr Cyllid, Ifor Morgan, ac ysgrifennydd, yr oedd y tri dirprwy Is-Ganghellor newydd. Y cyntaf oedd yr Athro Rhodri Hardman, peiriannydd mecanyddol nodedig, oedd wedi cysegru dros hanner ei yrfa i gynllunio'r car cyflymaf yn y byd, heb unwaith ofyn y cwestiwn: beth oedd diben y prosiect? Yn ail, yr Athro Iola Richards, ffisegydd ac unig aelod Cymdeithas Frenhinol y Brifysgol. Ei llysenw oedd 'Y Twll Du' – tyllau duon yn y gofod oedd ei harbenigedd – achos byddai hi'n llyncu popeth a glywai, ond yn anaml iawn byddai unrhyw air yn dianc o'i gwefusau. Yn drydydd, yr Athro Anton Grab, Almaenwr barfog, melancolaidd ac awdur y gyfrol awdurdodol ar gymdeithaseg marwolaeth.

Ar y bwrdd, safai gwydrau o ddŵr ond dim bisgedi: roedd y dirwasgiad eisoes yn taro'r sefydliad. Gorweddai cwmwl llwyd o ddiflastod dros bawb. Doedd ond ychydig o fân siarad am wyliau'r haf, a oedd yn ddim ond breuddwyd pell i bawb erbyn hyn.

Lisa agorodd y drafodaeth, trwy grynhoi cyflwr presennol y Brifysgol.

'Prynhawn da ichi i gyd. Dof i'n syth i'r pwynt. Fel chi'n gwybod, mae'r Brifysgol yn wynebu sefyllfa dra anodd. Mae adolygiad ariannol Ifor wedi datgelu twll mawr, £50m, yn ein cyllideb. Mae peth o'r bai, wrth gwrs, ar fenter anffodus Diocletian yn Indonesia. Hefyd, buodd rhagflaenydd Ifor yn gyfrifol am guddio colledion o ryw £10m, cyn diflannu i Sbaen bron mor gyflym â'r arian. Does dim gobaith o adennill yr arian.

'Yn ail, allwn ni ddim gwadu bod ein holl broblemau dros y blynyddoedd diwetha wedi dod â thon o effeithiau drwg ar ein pennau. Cwympodd y nifer o geisiadau gan ddarpar-fyfyrwyr 30% eleni, a does dim arwydd y bydd yr ystadegau'n well y flwyddyn nesa. Y gwir yw bod mwy a mwy o bobl yn y byd tu allan wedi clywed amdanon ni – ac yn arbennig am ein Is-Gangellorion – a dy'n nhw ddim yn hoffi'r hyn maen nhw'n ei glywed. Unwaith eich bod chi'n colli'ch enw da, mae'n anodd iawn ei adennill.

'Ac i gau pen y mwdwl, y refferendwm Ewropeaidd fis diwethaf. Mae'n anochel, ar ôl Bregsit, y gwelwn ni gwymp yn nifer y myfyrwyr o Ewrop – a cholli miliynau o bunnoedd o grantiau ac arian cyfalaf o Ewrop ar ben 'nny. Gallwn ni ddweud ffarwél wrth estyniadau ac adeiladau newydd ar y campws. Mae oes aur y Brifysgol yn prysur ddod i ben, a'r swigen wedi byrstio o'r diwedd. Ry'n ni'n byw ers amser mewn breuddwyd gwrach: dychmygu y byddai'r arian yn llifo am byth, fel afon Acheron.

'Allwn ni ddim anwybyddu'r argyfwng. Allwn ni ddim claddu'n pennau yn y tywod. Arbed arian, ar unwaith, yw'r unig ffordd os y'n ni'n dymuno parhau fel prifysgol.'

Arhosodd Lisa am farn y lleill. Doedd dim barn, dim ond tawelwch.

'Ydy fy niagnosis yn dal dŵr? Beth yw'r driniaeth?'

Astudiai'r lleill eu papurau fel petaen nhw'n sefyll arholiad. Teimlodd Llŷr ddyletswydd i roi help llaw i'w fòs.

'Lisa, chi'n llygad eich lle, mae arna i ofn. Os nad y'n ni'n gwneud rhywbeth ar unwaith, mae gwir berygl na fydd Prifysgol Aberacheron yn bod o fewn deng mlynedd. Neu, yn waeth byth, y bydd hi'n cael ei llyncu gan Brifysgol Aberlethe.'

Nodiodd y lleill eu pennau, heb godi eu llygaid o'r bwrdd. Aeth Lisa yn ei blaen.

'Os felly, y cwestiwn nesa inni yw hwn: sut gallwn ni newid cyfeiriad, a gwneud arbedion ar frys? Llŷr, mae'n siŵr i chi roi sylw i'r cwestiwn...'

'Do. Mae'n peri poen imi ddweud hyn, ond gan fod y rhan fwya o'n harian yn mynd ar staff, bydd rhaid inni fynd i'r adrannau eto, ac ystyried sut i gwtogi a chynilo – neu hyd yn oed ddiddymu rhai.'

Wedi clywed hyn, dihunodd y lleill o'u trwmgwsg a dechrau codi amheuon, gan ddadlau mor hanfodol oedd eu hadrannau nhw yn y Brifysgol.

Ysgubodd Lisa'r dadleuon hyn o'r neilltu. Aeth Llŷr yn ei flaen.

'Does dim ffordd ddi-boen o wneud hyn. Byddwn i'n awgrymu ein bod ni'n sefydlu pwyllgor i edrych ar bob adran yn ei thro a gweld lle mae modd torri, neu hyd yn oed i gau...'

Daeth Anton Grab 'nôl i dir y byw, a mwmblan i mewn i'w farf:

'Ond dyna oedd y drefn pan oedd Diocletian yn teyrnasu ar y Brifysgol. Fydd e ddim yn boblogaidd.'

'Ond does dim ffordd i osgoi bod yn amhoblogaidd,' atebodd Llŷr, 'A oes syniad gwell 'da chi?'

Doedd dim, ac aeth y cyfarfod ymlaen i drafod cynllun Llŷr. Ar ôl iddo ddod i ben gadawodd y tri Dirprwy gyda'i gilydd, dan lusgo eu traed a mwmian yn isel.

'Diolch o galon,' meddai Lisa wrth Llŷr, 'dwi'n hynod ddiolchgar iti am fod yn gefn imi.'

Aeth y ddau allan i heulwen y prynhawn hwyr ar y campws gwag.

40

Chwyrlïai gwynt hydrefol o gwmpas terasau Stadiwm Erebus wrth i'r gêm ddechrau. Yr ymwelwyr oedd Diawliaid Aberlethe. Roedd yr heddlu'n disgwyl helynt. Bob tro byddai ffans Aberlethe'n dod i'r Erebus, byddent yn ceisio procio dilynwyr Aberacheron i ymateb yn dreisgar.

Ond yn yr ardal i deuluoedd a dinasyddion hŷn, lle eisteddai Llŷr ac Eugene Drinkwater, roedd popeth yn dawel. Ers y gwanwyn roedd Eugene wedi gwirioni ar bêl-droed. Tanysgrifiodd i sawl sianel deledu chwaraeon er mwyn gwylio gemau'n rheolaidd, a dilynai wefannau a grwpiau Facebook er mwyn dal i fyny â digwyddiadau Dinas Aberacheron. Gwyddai pa chwaraewyr a werthwyd gan y clwb dros yr haf, ac roedd e'n gyfarwydd erbyn hyn â bron pob un o reolau'r gêm. Prynodd docyn tymor ar gyfer y flwyddyn i ddod. 'Baseball?' meddai, 'gêm i blant Americanaidd. Pêl-droed yw'r unig gêm, y gêm brydferth, gêm y duwiau.'

Fel y digwyddodd hi, Americanwyr oedd piau Dinas Aberacheron: cwmni *hedge fund* diegwyddor, di-wyneb. Dim ond un amcan oedd ganddynt: pentyrru dyled fawr ar y clwb, yna tynnu cymaint o arian ag y gallent oddi wrthi cyn symud ymlaen at y fenter broffidiol nesaf. Felly dros yr haf gwerthwyd bron pob un o aelodau'r tîm cyntaf. Daeth y rhan fwyaf o'r chwaraewyr ar y maes heddiw o Academi'r clwb. Deunaw oedd eu hoedran ar gyfartaledd. Yn ffodus roedd y clwb wedi llwyddo i gadw Otis Adaloye o Senegal. Bum munud cyn diwedd yr hanner cyntaf, saethodd e'r bêl o bell i drechu gôl-geidwad Aberlethe. Safodd pawb o gwmpas Llŷr a Eugene, gan weiddi a chodi eu breichiau i'r awyr. Un fraich yn achos Eugene. Tawelwch o ardal cefnogwyr Aberlethe.

Yn syth ar ôl chwiban y dyfarnwr, aeth Eugene i'r tŷ bach. Pan ddaeth e 'nôl roedd golwg ddifrifol ar wyneb Llŷr.

'Fe welais i Dylan Quigley yn ei le arferol y tu ôl inni', meddai Llŷr, 'a dwi'n siŵr iddo sylwi arna i. Ond yn rhyfedd iawn, wnaeth e ddim codi llaw, heb sôn am ddod lawr i dorri gair. Bron fel tase fe'n gyndyn i fod yn agos imi.'

'Ydy hynny'n annisgwyl?'

'Beth ti'n feddwl, Gene?'

'Wel, ym mha adran mae Quigley?

'Peirianneg Gemegol. Felly?'

'Pa adran sydd ar dop y rhestr "ymweliadau", fel rhan o dy raglen i dorri'r gyllideb?'

'Peirianneg Gemegol. O, wela i. Ti'n awgrymu mai dyna pam bod Quigley yn troi ei gefn?'

'Wel, Llŷr, beth am roi dy hun yn ei sgidiau e? Mae'r bosys ar fin disgyn ar fy Adran. Bydd swydd pawb dan y chwyddwydr. Faint o erthyglau ydw i wedi eu cyhoeddi yn ystod y pum mlynedd diwetha? Beth yw barn y myfyrwyr am safon fy nysgu? Faint dwi wedi'i gyfrannu at fywyd yr adran, mewn unrhyw ffordd?'

'Nawr dy fod di'n ei roi e fel 'na, mae'n swnio'n dipyn o her. Ond does dim ffordd arall o'i wneud e. A bydd cyfle gan bob un i bledio ei achos…'

'Nid dyna'r ffordd mae aelodau eraill o'r Brifysgol yn gweld beth sy'n digwydd. Mae cwmwl o ansicrwydd yn hongian dros bennau pawb. Wyt ti'n gwbod bod yr adrannau wedi rhoi'r gorau i osod placiau ar ddrysau'r swyddfeydd? Dyw staff ddim yn para'n ddigon hir i hynny fod werth yr ymdrech.

'Llŷr, wyt ti wedi darllen *Animal Farm* gan George Orwell?'

'Naddo. A dweud y gwir, dyw ffuglen erioed wedi apelio ata i. Mae'n well 'da fi'r byd yn ei holl realiti.'

'Ond weithiau mae ffuglen yn gallu dweud mwy wrthon ni am realiti'r byd nag unrhyw ffeithiau. Mae *Animal Farm* yn stori chwyldro gan yr anifeiliaid, dan arweiniad y moch, yn erbyn y bodau dynol, gormesol ar y fferm. Mae'r chwyldro'n llwyddo. Ond yn raddol mae'r moch yn bihafio fwyfwy fel y dynion cynt. Ar y diwedd, mae gweddill yr anifeiliaid yn edrych trwy'r ffenest i ystafell lle mae'r moch a'r dynion yn cael parti. A dy'n nhw ddim yn gallu dweud y gwahaniaeth rhyngddyn nhw.'

'Dwyt ti ddim wir yn awgrymu mod i'n debyg i'r anghenfil Diocletian 'na, neu Grimshaw?'

'Wrth gwrs ddim. Am wn i, ar un adeg roedd y ddau ohonyn nhw'n ddynion di-fai. Ond yn raddol, oherwydd y pwysau oedd arnyn nhw i weithio mewn system annheg a gormesol, daeth tro ar eu byd... Ond dwi wedi dweud digon. A dyma'r timau'n dod 'nôl i'r cae.'

Yn yr ail hanner rhedodd Diawliaid Aberlethe yn wyllt, wrth i goesau bechgyn amhrofiadol Aberacheron flino. Erbyn diwedd y gêm roedden nhw wedi sgorio pedair gôl. Cododd sŵn byddarol o ben arall y stadiwm: 'DIAWL-edig, DIAWL-edig'. Dechreuodd cefnogwyr y tîm cartref ymadael mewn tawelwch. Ar ôl i'w dîm golli saith gêm yn olynol byddai swydd Gary Evans yn y fantol yn y cyfarfod nesaf o Fwrdd Dinas Aberacheron.

Arhosodd Llŷr a Eugene yn eu seddi am sbel, wrth i Eugene rannu ei ddadansoddiad arbenigol ar yr ornest, a sut byddai e wedi ennill y gêm, petai e wedi bod yn sgidiau'r rheolwr.

Wedyn daeth golwg ddifrifol i'w wyneb. Gwyddai Llŷr fod rhywbeth personol arall ar flaen ei dafod.

'Iawn, Gene, beth sy'n dy gnoi di nawr?'

'Ti'n gwbod am y dyn yma sy'n ymchwilio i sut lwyddoch chi i ddatrys dirgelwch Diocletian – yr un sy'n bwriadu cyhoeddi llyfr amdanat ti? Dwi'n anghofio ei enw, beth yw e?'

'Andrew Green.'

'Ie, dyna fe. Gair o gyngor iti. Y gair ola, dwi'n addo. Bydd yn ofalus am y boi 'na. Elli di ddim bod yn siŵr ei fod e'n mynd i ddweud y gwir.'

'Glywaist ti rywbeth drwgdybus amdano?'

'Dim byd penodol. Ond mae 'na rywbeth amheus amdano fe, dwi'n ei deimlo ym mêr fy esgyrn. Dyw e ddim yn academydd fel ti a fi, un sy'n parchu ymchwil a darganfod y gwir, ond yn rhyw fath o newyddiadurwr amatur. Elli di ymddiried ynddo fe i fod yn onest? I fod yn hanesydd dibynadwy?'

'Wel, 'na i gyd alla i ddweud wrthot ti yw bod y dyn yn hawdd i'w gredu, ac yn dweud y pethau iawn. Os codith problem allai fod o ddifrod, cofia, galla i ei stopio fe rhag cyhoeddi'r llyfr.'

'Digon teg. Ond paid â dweud na chest ti dy rybuddio.'

Gyda hynny cerddodd y ddau gyfaill yn araf ac yn ansicr trwy gatiau haearn Stadiwm Erebus ac allan i strydoedd y ddinas. Roedd y byd i gyd o'u blaenau.

MYNEGAI

'Stid o nofel bwerus.'
Manon Steffan Ros
y Lolfa
Iaith y Nefoedd
LLWYD OWEN

£6.99

'NOFEL RYMUS A CHYFFROUS
SYDD AG UN TROED
YN Y GORFFENNOL A'R
LLALL AR GURIAD CALON
Y GYMRU GYFOES.'
Llwyd Owen
BABEL
IFAN MORGAN JONES
y lolfa

£9.99

O'r bennod drawiadol gyntaf mae hon yn stori igam-ogam o afaelgar. **ANDY BELL**

JON GOWER

Y DIAL

£8.99

Holwch am bris argraffu!
www.ylolfa.com